Univers des Lettres Bordas

Sous la direction de Fernand Angué

GIRAUDOUX

LA GUERRE DE TROIE N'AURA PAS LIEU

Extraits
avec une notice sur l'auteur (vie, production, personnalité), une étude générale de son œuvre et de son théâtre, une présentation de la pièce et son analyse méthodique avec questions et notes, une étude de la pièce et des jugements critiques

par

Henri BAUDIN
Agrégé des Lettres
Maître-assistant de Littérature française
à l'Université III de Grenoble

Bordas

W9-DHX-865

PH. JEAN ROUBIER

Bellac

L'édition intégrale de *La Guerre de Troie n'aura pas lieu* est publiée par les Éditions Grasset

© Jean-Pierre Giraudoux et Éd. Grasset
© Bordas, Paris 1970 - 1re édition
© Bordas, Paris 1985 pour la présente édition
I.S.B.N. : 2-04-016031-0; I.S.S.N. 1142-6543.

Toute représentation ou reproduction, intégrale ou partielle, faite sans le consentement de l'auteur, ou de ses ayants droit ou ayants cause, est illicite (loi du 11 mars 1957, alinéa 1er de l'article 40). Cette représentation ou reproduction, par quelque procédé que ce soit, constituerait une contrefaçon sanctionnée par les articles 425 et suivants du code pénal. La loi du 11 mars 1957 n'autorise, aux termes des alinéas 2 et 3 de l'article 41, que les copies ou reproductions strictement réservées à l'usage privé du copiste et non destinées à une utilisation collective d'une part et, d'autre part, que les analyses et les courtes citations dans un but d'exemple et d'illustration.

LA VIE DE JEAN GIRAUDOUX
(1882-1944)

Elle commence, comme son œuvre, par des Provinciales. Le 29 octobre 1882, à Bellac en Limousin naît d'ANNE LACOSTE, bellachonne, et de LÉGER GIRAUDOUX, corrézien d'origine, fonctionnaire des Ponts et Chaussées (avant de devenir percepteur), HIPPOLYTE JEAN GIRAUDOUX, dont l'aîné de deux ans se prénomme Alexandre, et qui devra à sa mère l'usage de Jean comme prénom usuel.

Le bon élève (1890-1905) La famille est à Pellevoisin-sur-Indre où Jean Giraudoux fréquente l'école communale avant de partir, boursier, rejoindre son aîné comme pensionnaire au lycée de Châteauroux. Ainsi commence une période où il sera, sous diverses formes, interne de onze ans à vingt-trois ans. Une photo de 1894 nous montre son visage fin, à la fois hardi et fermé; il s'adapte à son milieu, mais y garde ses distances. En 1895, sa famille se fixe à Cérilly où il passe, l'été, des vacances de « petit Meaulnes ».

En 1896-1897, jusque-là bon élève sans éclat, il commence à remettre des compositions françaises très personnelles à son professeur de troisième, M. Simon, décroche le prix d'excellence et fait du sport avec conviction. Dans aucune des années suivantes au lycée il ne manque à ces trois bonnes habitudes.

En 1899-1900, il a en philosophie M. Aubin, rationaliste anticlérical, plus tard Inspecteur général (d'où sans doute l'Inspecteur d'*Intermezzo*), avec lequel il s'entend mal; il refuse aussi les engouements « engagés » de ses camarades (affaire Dreyfus, guerre des Boërs, naturalisme à la Zola) et se contente d'être champion du 100 m, du 500 m et de marche libre 4 km.

En 1900-1901, on le retrouve, toujours interne, mais en Première supérieure au lycée Lakanal près de Paris; il fait du rugby, est surnommé Galéas pour son profil à la Sforza, et connaît en bizuth un échec honorable au concours de l'École normale supérieure.

En 1901-1902, juste revanche, il a le premier prix de français et le prix d'excellence; il est aussi premier en version grecque au Concours général, et reçu treizième à l'École normale supérieure. Mais, avant d'y entrer, il liquide en 1902-1903 son service militaire (Lyon, puis Clermont-Ferrand), qu'il termine comme sergent d'infanterie de réserve.

En 1903-1904, il fait une licence d'allemand à la Sorbonne, avec Charles Andler comme professeur pour le romantisme germanique, et publie dans *Marseille-Étudiant* un conte onirique à la Hoffmann. En 1904-1905, toujours en Sorbonne, culture générale (cours sur les philosophes grecs présocratiques, les Stoïciens, et Spinoza) et philologie (mémoire sur l'ode pindarique). Après quoi, il part faire en Allemagne le stage que comportent ses études. L'oiseau s'envole de sa cage.

L'apprentissage de la vie (1905-1920)

A Munich durant l'été 1905, il est précepteur du jeune Paul Morand, puis étoffe son stage par des voyages, imprévus, jusqu'en Italie. Il rentre en France soutenir en juin 1906 un mémoire de diplôme sur des poèmes allemands de type pindarique (*Festgesänge* de Platen).

L'année 1906-1907 le voit à Paris agrégatif d'allemand sans conviction (ni succès), mais assurant la publication en revue des premiers éléments de ses *Provinciales*.

En 1907-1908, il part comme lecteur de français aux États-Unis, à Harvard, où il apprend l'aisance financière, l'élégance et la séduction sous toutes ses formes. En mai 1908, à nouveau parisien, il assure au journal *le Matin* le service des contes, et en écrit à cette occasion plusieurs (réunis de façon posthume sous le titre *Contes d'un matin*). C'est en 1909 que paraît son premier livre, *Provinciales*, récits où il refuse l'automatisme du « bien écrit » scolaire ou académique, au bénéfice d'une vision originale jusqu'au paradoxe et d'un style métaphorique fluide.

En 1910, il passe avec Paul Morand, qui l'y avait poussé, le petit concours des Affaires étrangères; le voici reçu élève-vice-consul. Attaché de direction au Quai d'Orsay en 1911, il y devient le protégé de Philippe Berthelot, fait du tennis avec lui et publie en librairie les trois nouvelles de *l'École des indifférents*. Chargé de mission en 1912, il voyage en Europe centrale et en Russie, devient vice-consul en 1913 et a juste le temps de commencer en revue la publication de son premier roman, *Simon le Pathétique* (juillet 1914).

La guerre de 1914 le voit d'abord faire campagne en Alsace, puis à la Marne où il est cité, puis blessé; sitôt rétabli en 1915, il se fait envoyer sur le front des Dardanelles, où il est à nouveau blessé; hôpital à Paris, mission au Portugal en 1916, mission militaire à Harvard en 1917, liaison en France avec le G. Q. G. américain en 1918.

En 1919, il est reçu deuxième au grand concours de secrétaire d'ambassade, et publie dès lors presque annuellement de nouvelles œuvres, romanesques surtout.

L'installation (1921-1927) Depuis 1920, il assure le service des œuvres françaises à l'étranger (en fait, il dirige les relations culturelles diverses).

Marié au début de l'année 1921, père de Jean-Pierre Giraudoux à la fin de l'année, il a la contrariété de voir en 1922 son ami et protecteur Philippe Berthelot contraint à la démission par Poincaré, avec lequel notre auteur réglera ses comptes dans le roman *Bella* (Rebendart = Poincaré, Dubardeau = Berthelot). Entre temps, il est en 1924 secrétaire d'ambassade à Berlin, puis chef du service Information et Presse, avant de se retrouver mis en 1927 (après la publication de *Bella*) hors cadre par Poincaré, au service des « dommages alliés en Turquie », voie de garage qui du moins lui permettra d'écrire tout à son aise jusqu'en 1934, des œuvres de théâtre notamment.

L'épanouissement (1928-1939) Dès 1924, Giraudoux avait adapté, en hommage à Charles Andler, un dialogue de son roman *Siegfried et le Limousin* en scène de théâtre; cet essai, mis sous les yeux du grand metteur en scène Jouvet, amène ce dernier à demander l'adaptation scénique complète à l'auteur. Mai 1928 sera une grande date du théâtre français : toute une jeunesse y découvre que l'esprit peut s'allier avec l'élégante perfection de la langue, et la fantaisie poétique avec la réflexion profonde sur les grands problèmes du temps. Dès lors chaque année est marquée par au moins une œuvre nouvelle, et souvent théâtrale.

A partir de 1934, Giraudoux est envoyé en inspection des postes consulaires à travers le monde; à Paris, il fait des conférences (sur la Française; l'urbanisme; La Fontaine; la politique intérieure française). Quand la deuxième guerre mondiale éclate, peu après la publication de ses essais politiques, *Pleins Pouvoirs*, il devient en 1939 ministre de l'Information (sous le titre officiel de Commissaire général).

Sans pouvoirs (1940-1944) L'armistice de juin 1940 trouve à Bordeaux Giraudoux désemparé. Son fils part, le lendemain même de l'appel du 18 juin par le général de Gaulle, rejoindre à Londres les Forces françaises libres. A Paris, vivant discrètement dans une chambre d'hôtel, mal vu de l'occupant, il prolonge ses réflexions politiques et élabore avec des amis un plan de redressement pour la France quand elle serait libérée (ce sera *Sans Pouvoirs*). Son théâtre d'alors se partage entre le pessimisme du présent *(Sodome et Gomorrhe)* et l'espoir en l'avenir *(La Folle de Chaillot)* ; même clivage au cinéma où son scénario de *la Duchesse de Langeais* propose deux fins, l'une noire, l'autre rose. Il meurt assez brusquement le 31 janvier 1944, à soixante et un ans, sans avoir vu cette Libération à laquelle il croyait au point d'avoir marqué sur le manuscrit de sa *Folle de Chaillot*, tandis que Jouvet était en Amérique du Sud, en 1943 « Cette pièce a été créée le 15 octobre 1945 par Louis Jouvet au Théâtre de l'Athénée. » Suprême fantaisie, suprême prophétie.

Jean Giraudoux, Louis Jouvet et Valentine Tessier
pendant une répétition de *la Guerre de Troie*.

L'ŒUVRE DE GIRAUDOUX [1]

1909 *Provinciales* (récits), Grasset.
1911 *L'École des indifférents* (nouvelles), Grasset.
1917 *Lectures pour une ombre* (écrits de guerre), Émile-Paul.
1918 *Simon le Pathétique* (roman remanié en 1923), Grasset.
1919 *Amica America* (récits), Émile-Paul, puis Grasset.
1920 *Adorable Clio* (récits), Émile-Paul, puis Grasset.
Elpénor (fantaisie homérique), Émile-Paul, puis Grasset.
1921 *Suzanne et le Pacifique* (roman), Émile-Paul, puis Grasset.
1922 *Siegfried et le Limousin* (roman), Grasset.
1924 *Juliette au pays des hommes* (roman), Émile-Paul, puis Grasset.
1926 *Bella* (roman), Grasset.
1927 *Églantine* (roman), Grasset.
1928 (mai) *Siegfried* (4 actes), Grasset.
1929 (novembre) *Amphitryon 38* (comédie en 3 actes), Grasset.
1930 *Les Aventures de Jérôme Bardini* (roman), Émile-Paul, puis Grasset.
1931 (novembre) *Judith* (tragédie en 3 actes), Émile-Paul, puis Grasset.
1932 *La France sentimentale* (nouvelles), Grasset.
1933 (février) *Intermezzo* (comédie en 3 actes), Grasset.
1934 (novembre) *Tessa* (adaptation scénique en 3 actes), Grasset.
Combat avec l'ange (roman), Grasset.
1935 (novembre) **La Guerre de Troie n'aura pas lieu**, Grasset.
(novembre) *Supplément au Voyage de Cook* (1 acte), Grasset.
Fin de Siegfried (1 acte), Grasset.
1937 (mai) *Électre* (2 actes), Grasset.
(décembre) *L'Impromptu de Paris* (1 acte), Grasset.
1938 (octobre) *Cantique des cantiques* (1 acte), Grasset.
Les Cinq Tentations de La Fontaine (essai), Grasset.
1939 (mai) *Ondine* (3 actes), Grasset.
Choix des élues (roman), Grasset.
Pleins Pouvoirs (essais), Gallimard-NRF.

---

1. L'année est celle de première publication, le mois celui de première représentation.

1941 *Littérature* (essais), Grasset.
1942 (juin) *L'Apollon de Marsac* (puis : *de Bellac*) (1 acte), Grasset.
Le film de la Duchesse de Langeais (scénario), Grasset
1943 (octobre) *Sodome et Gomorrhe* (2 actes), Grasset.
1944 *Le film de Béthanie* (scénario des *Anges du péché*) NRF.
1945 (décembre) *La Folle de Chaillot* (2 actes) (de 1942), Grasset (posthume).
Armistice à Bordeaux (essai) (de 1940), Éd. du Rocher
1946 *Sans Pouvoirs* (essais) (de 1941-1943), Éd. du Rocher
1947 *Visitations* (essai sur son théâtre) (de 1942), Grasset
1951 *La Française et la France* (essais) (de 1934 et de 1939), NRF.
1952 *Les Contes d'un matin* (nouvelles) (1904-1911), NRF
1953 (novembre) *Pour Lucrèce* (3 actes) (de 1942-1943), Grasset.
1958 *La Menteuse* (roman, édition intégrale en 1969); *Le Gracques* (1 acte) (de 1936), Grasset.
Portugal (récit, 1941); *Combat avec l'Image* (essa 1941), Grasset.
1969 *L'Or dans la nuit* (essais), Grasset.
Carnet des Dardanelles (notes), Bélier.

Éditions collectives :

1945-53 *Théâtre complet* (16 tomes dont 4 de variantes Ides et Calendes, Neuchâtel et Paris.
1955-56 *Théâtre complet* (2 tomes); *Œuvres romanesqu* (2 tomes), Grasset.
1959 *Théâtre* (4 tomes), Grasset.

BIBLIOGRAPHIE DE BASE

Initiation

Chr. Marker, *Giraudoux par lui-même*, Seuil, 1952.
V. H. Debidour, *Jean Giraudoux*, Éd. universitaires, 19
M.-J. Durry, *l'Univers de Giraudoux*, Mercure de Fran 1961.
C.-E. Magny, *Précieux Giraudoux*, Seuil, 1945.

Théâtre

M. Mercier-Campiche, *le Théâtre de Giraudoux et la condit humaine*, Domat, 1954.
Ch. Mauron, *le Théâtre de Giraudoux*, Corti, 1971.

Thèses

R. M. Albérès, *Esthétique et morale chez Jean Giraudoux*, Nizet, 1957.
H. Soerensen, *le Théâtre de Jean Giraudoux, technique et style*, Acta Jutlandica Aarhus, 1950.
Morton M. Celler, *Étude du style métaphorique de Jean Giraudoux* (dactyl.), 1952.

Études

A. Rousseaux, *le Paradis perdu* (chap. III), Grasset, 1946.
R. Brasillach, *les Quatre Jeudis* (chap. VII), les Sept Couleurs, 1952.
Cl. Roy, *Descriptions critiques* (chap. IX), NRF, 1949.
C.-E. Magny, *Histoire du roman français depuis 1918* (chap. VI), Seuil, 1950.
A. Thibaudet, *Réflexions sur le roman* (chap. VIII et XVI), NRF, 1938.
J.-P. Sartre, *Situations I* (chap. IX), NRF, 1947.
P.-H. Simon, *Théâtre et Destin* (chap. III), Armand Colin, 1959.
L. Jouvet, *Témoignages sur le théâtre*, Flammarion, 1952.
L. Cellier, *Études de structure*, A. L. M., Minard, 1964.
Larthomas, *Le langage dramatique*, A. Colin, 1972.
Cahiers Renaud-Barrault n°s 2 (1953), 10 (1955), 36 (1961), Julliard.

LA PERSONNALITÉ DE GIRAUDOUX

Image de marque de l'humanisme français

Beau, sportif, élégant, séduisant, intelligent, amusant, brillant universitaire et diplomate distingué, homme de lettres et homme du monde également à succès, le plus parisien des provinciaux, Giraudoux offre dans sa personne une image du bonheur : celle d'une réussite totale, permanente et immédiate dans l'aisance harmonieuse.

L'harmonie en effet se trouve à la base de son optimisme : harmonie universelle de l'ordre du monde, de l'homme dans cet ordre (grâce à un paganisme essentialiste) et parmi les autres hommes comme avec ses frères animaux et végétaux (grâce à une politesse sereine); harmonie de l'homme et de la femme dans la sensualité sereine de l'amour, libre ou conjugal; harmonie, si rare en France, du corps et de l'esprit; harmonie pointilliste de la fantaisie poétique dans les menus détails; harmonie verbale d'un style à la fois précieux dans sa recherche et classique dans sa pureté.

Une telle et si constante perfection, image insolemment simple du bonheur humain, fait grincer les dents à bien des esprits critiques ou douloureusement « engagés », qui n'y voient qu'égoïsme de privilégié et insignifiance de bateleur raffiné. Une lecture attentive de l'œuvre giralducienne amène pourtant à renvoyer dos à dos admirateurs et contempteurs d'un tel Giraudoux, car il s'agit là d'un mythe plus que d'une réalité.

Vulnérabilité et pessimisme

La dernière pièce de Giraudoux jouée de son vivant dans Paris occupé et bombardé, *Sodome et Gomorrhe*, montre un univers divisé, ravagé, et toujours divisé au delà de son ravage même; l'image de marque qui aurait permis de le sauver, le couple parfait, n'est qu'apparence et faux semblant, et là encore, sa dissolution précède et suit celle de l'anéantissement.

La dernière pièce de Giraudoux créée après sa mort, *Pour Lucrèce*, montre une société corrompue à qui la pureté de Lucile est insupportable et qui n'aura de cesse qu'elle n'ait détruit l'une et l'autre.

Le dernier roman de Giraudoux, *Choix des élues*, narre par le menu la vaine quête de l'absolu par une femme ainsi arrachée à son harmonieux bonheur humain, et, après son échec final,

l'éternel recommencement de ce périple illusoire avec la fill
de l'héroïne.

Quant au dernier essai auquel Giraudoux consacrera se
ultimes années, il s'intitule significativement *Sans pouvoirs*
On objectera peut-être que l'épithète constante de « dernier »
explique ce pessimisme par l'arrivée simultanée de l'âge et de
infortunes nationales. Mais il faut remonter plus avant e
découvrir, antérieurement à l'Edmée de 1939, le Jérôme Bardin
de 1926-1930, période de crise personnelle (disgrâce diplomatique, lassitude de l'installation familiale et professionnelle
également marquée par le désir d'évasion et l'échec final d
l'évasion. De même, avant l'inéluctable conflagration d
Sodome et Gomorrhe, nous trouvons en 1939 la défaite d
couple dans *Ondine*, et surtout, dès 1935, la fatalité du confl
dans *la Guerre de Troie n'aura pas lieu*, devant la monté
des périls dus à l'Allemagne nazie de 1933. Enfin, avan
Pour Lucrèce, la pureté entre, dans *Électre*, en lutte avec l
cité, et cette dernière n'y survit pas : dure victoire, et combie
ambiguë!

On pourra dès lors penser qu'il s'agit de moments de cris
comme il en arrive dans la vie de tout homme. Le mal d
Giraudoux vient de plus loin : il est frappant de trouver dar
ses souvenirs du lycée de Châteauroux *(Adorable Clio)* d
discrètes mais profondes traces d'amertume, et la marqu
du désarroi douloureux de l'enfant jeté trop jeune à l'interna
frappant aussi de voir dans son premier livre *(Provinciales*
des traces d'attendrissement souffreteux et de dolorisn
moral un peu suspect, dont la tentation se retrouvera pl
tard et se conjurera chez Maléna, héroïne de *Combat av
l'ange*.

En outre, des circonstances banales, hors de toute cris
révélaient chez l'adulte un être virtuellement vulnérable
permanence. André Beucler narre, dans ses *Instants
Giraudoux*, une panne d'automobile en rase campagne, l
plaisantes fusées fantaisistes d'abord tirées par le diplomat
poète, puis son découragement poussé bientôt à un pessimisn
noir, malgré l'intervention d'un paysan parti chercher
secours et qui tardait un peu à le ramener.

Pessimisme, vulnérabilité, comment cela peut-il se concili
avec l'optimisme serein qui semblait pouvoir définir Giraudou
et qu'il n'est pas question de nier pour autant?

Sérénité conquise

Voici donc un enfant à la jeunesse frustrée
hors les étés solitaires de « petit Meaulnes » —
quelque douze ans d'internat en tout genre. F
d'un père autoritaire et âpre, et d'une mère délicate et insa

faite, il fait face en bon élève à cette double incitation à se distinguer. Mais ses triomphes ne sont jamais immédiats.

Premier partout, a-t-on souvent dit; c'est « presque » vrai, mais ce n'est pas rabaisser notre auteur que de rappeler le rang de treizième à Normale (après un échec en bizuth) et celui de second au grand concours du Quai d'Orsay (neuf ans après le succès au petit concours). Il importe en effet de voir que l'abonnement au prix d'excellence ne commence qu'en quatrième année de lycée, la pluie des succès qu'en seconde année de Première supérieure; ce qui a précédé, plus terne, est l'élaboration volontaire, la conquête méthodique. Les cahiers de l'élève Giraudoux sont des modèles de calligraphie, d'ordre, de minutie (index alphabétique, etc.).

La supériorité scolaire ainsi acquise était une compensation à la médiocrité sociale et pécuniaire du jeune boursier face aux jeunes bourgeois, tous fils de notables, qui peuplaient les lycées de la Belle Époque. Giraudoux complétait cette revanche par la supériorité physique grâce aux sports régulièrement pratiqués, par la rigueur d'une tenue très soignée, par un non-conformisme un peu aristocratique (et donc antibourgeois), enfin par un détachement et une distance également affirmés envers camarades et professeurs.

Passée la scolarité, cette distance non-conformiste, confirmée par la bohême européenne ou parisienne, s'élève par rapport au public en une vision à l'impressionnisme systématiquement dépaysant (*Provinciales* diffère totalement des *Contes* où sa vision restait très ordinaire); la sensibilité encore vulnérable, la pitié notamment, est ensuite éliminée par le dandysme de *l'École des indifférents;* le regard, ainsi déshumanisé et porté au niveau de l'ordre cosmique, s'apparente à la métaphysique de romantiques allemands (Jean-Paul et Novalis), au déterminisme serein de Spinoza, au pieux fatalisme des Stoïciens, à la physique des présocratiques grecs. Il se double de l'assurance due au stage américain et à l'exercice de la séduction comme de la diplomatie.

Mais cette désinvolture conquise comme une nouvelle jeunesse pouvait donner un de ces immoralistes séduisants dont abondait l'après-guerre ainsi que l'œuvre de son ami Paul Morand, et l'on a pu croire que ce détachement était égoïsme et superficialité.

Substantialité sous l'éclat Le détachement dû à une vision dépassant l'égocentrisme anthropomorphique n'est de fait ni propice à l'égoïsme ni incompatible avec l'engagement idéologique et personnel. Le combattant de 1914-18 deux fois blessé; le pamphlétaire du poincarisme à travers le romancier de *Bella*, et du colonialisme dans le

Supplément au Voyage de Cook; le guetteur des guerre menaçantes, civiles *(Électre)* ou internationales *(La Guerr de Troie n'aura pas lieu);* le citoyen critique de *Pleins Pou voirs*, le ministre des messages au pays en guerre, le penseu politique de *Sans pouvoirs*, mal vu de l'occupant, le dénon ciateur des puissances d'argent dans *la Folle de Chaillot* autant d'aspects par lesquels Giraudoux s'affirme un homm parmi les hommes.

C'est que sa vision s'est encore élargie avec la guerre d 1914, où sa solidarité avec ses frères d'armes (alliés, voir adversaires) ne va pas sans remettre en cause son acceptatio de l'ordre du monde. Dès lors, sa problématique de la doub solidarité avec l'univers et avec les humains, face à leur dispa rité, va le porter toujours un peu plus vers ces derniers *(Inte mezzo; La Guerre de Troie n'aura pas lieu)*, avec quelqu reflux quand il mesure mieux la part de responsabilité d hommes dans leur malheur; mais il n'en va pas moins jusqu l'engagement proprement politique, sinon partisan (hostili envers l'occupant, programme de redressement du pays, etc.

On pourrait croire que cet engagement coïncide avec pessimisme déjà mentionné pour cette période; ce serait oubli que pessimisme et optimisme coexistent chez Giraudoux la crise de Jérôme Bardini n'empêche ni le robuste *Siegfri* ni l'exquis *Amphitryon 38;* celle d'*Ondine* et de *Choix d élues* coïncide avec le programme de réformes de *Plei Pouvoirs;* celle de *Sodome et Gomorrhe* ou *Pour Lucrè* avec celui de *Sans pouvoirs* et les rêves optimistes de *l'Apoll de Bellac* ou de *la Folle de Chaillot*.

Surtout, les deux tendances coexistent à l'intérieur de mêm œuvres, non pas pour se succéder, comme dans ces ouvrag didactiques où le pire détruit le bien (à moins que le bi n'y efface le mal); au contraire, les deux aspects antagonis sont pris également au sérieux, l'auteur se sentant enga dans chacun d'eux et refusant de le traiter à la légère. Da *la Guerre de Troie n'aura pas lieu*, Hector avoue loyalem et évoque avec poésie les prestiges de la guerre auxqu il s'était laissé prendre, avant de les dénoncer; Andromac combat le pessimisme de Cassandre, puis y succombe l'adopte pour le confronter et le dépasser en discutant a Hector. Les essais politiques diagnostiquent impitoyablem les tares nationales, mais aussi inventorient les ressour ou prescrivent des remèdes et des régimes régénérateurs.

Nous voici bien loin de la légèreté supposée, où tout réduit à des mots d'esprit. C'est qu'il y avait là illus d'optique : devant le fait que tout ici finit par de l'esp on oublie que tout a « commencé » par une analyse app fondie et une lucidité sans complaisance; de même, dev les succès de Giraudoux, on croyait qu'ils étaient naturels et immédiats. Or l'éclat de Giraudoux, les « facettes » qu'on lui a si souvent reprochées, n'ont pas la fragilité du verre, mais la dureté et la pureté du diamant. Il suffit de lire de près, en s'arrêtant, réfléchissant et confrontant, pour que ce qui semblait un pur jeu verbal ou conceptuel se révèle en général spirituel au sens le plus plein de ce terme, gorgé de signification et de méditations antérieures. Les paradoxes n'ont jamais autant que chez lui été de profondes vérités revêtues de couleurs piquantes. Cet apparent « chaos d'idées claires », comme on disait de Voltaire, se relie en une vision du monde à la fois évolutive (comme l'a montré la thèse capitale de R. M. Albérès) dans le dosage de ses antagonismes externe (univers — hommes) et interne (optimisme — pessimisme), et cohérente dans ses thèmes majeurs.

Jean Giraudoux pendant la guerre de 1914-1918.

COLL. JEAN-PIERRE GIRAUDOUX

PH. J.-P.

Maria Mauban *(Andromaque)*
et Pierre Vaneck *(Hector)* au T. N. P., 1963.

HECTOR. — Ce sera un fils, une fille? (acte I, sc. 3).

LES THÈMES MAJEURS DE GIRAUDOUX

Essence et exemplarité Comme Sartre, mais avec plus de sympathie, Claude-Edmonde Magny a montré dans l'attitude giralducienne, qu'elle baptise avec d'autres « préciosité », un essentialisme de type aristotélicien, où toute chose tend à la réalisation parfaite et comme superlative de son être. Il suffit de voir la multiplicité des vivants et des choses constitués en types à l'état pur, le « cornichon du père de famille » sur la table d'Edmée, la « *collata azurea* » ou l'Inspecteur (de quoi, au fait?) dans *Intermezzo*. La psychologie qui individualise le personnage dramatique ou romanesque fait place, comme chez Claudel, à la valeur générale du type, porté à l'exemplarité par les superlatifs de tout genre (le plus..., le seul qui..., jamais aussi..., etc.). Du coup, les âges de la vie se referment sur leur essence et se coupent des âges voisins : la jeune fille se métamorphose en une femme qui lui est opposée; quand l'adulte « touche à ses quarante ans, on lui substitue un vieillard. Lui disparaît. Il n'y a que des rapports d'apparence entre les deux. Rien de l'un ne continue en l'autre » (*La Guerre de Troie n'aura pas lieu*, I,6, l. 172-75).

Vision et harmonie cosmiques Dès le début, Giraudoux s'est entraîné à une vision originale : « oublier que je vis, laisser toutes choses venir à moi, rapetissées et veloutées, pour qu'elles puissent passer par mes yeux sans me meurtrir les prunelles » *(Provinciales)*. Il refuse tout anthropocentrisme : « Les effigies humaines elles-mêmes lui avaient toujours paru ce qu'elles paraissent à des yeux animaux, des effigies non-humaines » (*Choix des élues*, XI). D'où le regard poétique, qu'il qualifie ainsi chez La Fontaine : « Une sorte de vision supérieure à la fois olympienne et édénique. » C'est la clé de l'universelle analogie, métaphysique et poétique : « De grandes ressemblances balafrent le monde et marquent ici et là leur lumière. Elles rapprochent, elles assortissent ce qui est petit et ce qui est immense. D'elles seules peut naître toute nostalgie, tout esprit, toute émotion » *(L'École des indifférents)*.

Ainsi, la préciosité s'enrichit d'un sens nouveau : « mal qui consiste à traiter les objets comme des humains, les humains comme s'ils étaient dieux et vierges, les dieux comme des chats ou des belettes, mal que provoque, non pas la vie dans les bibliothèques, mais les relations personnelles avec les saisons, les petits animaux, un excessif panthéisme et de la politesse envers la création » (*Juliette au pays des hommes*, VIII). Ainsi naît également l'harmonie cosmique, « cette soumission des vagues, des couleurs, des vides dans l'air, aux lois des axes et des divins engrenages » *(Portugal)*, avec laquelle l'homme doit aussi s'accorder : Reginald « était vis-à-vis des dons du monde civilisé ce que les sauvages sont vis-à-vis de la nature [...] entre lui et l'univers, il y avait la même réussite qu'entre le meilleur appareil de radio et les ondes » *(La Menteuse)*. Ainsi encore est Hélène dans *la Guerre de Troie n'aura pas lieu.*

Innocence et indifférence De là une sorte de pureté immédiate et inconsciente que Giraudoux nomme innocence : « L'innocence d'un être est l'adaptation absolue à l'univers dans lequel il vit. Elle n'a rien à voir avec la cruauté ou la douceur — le loup est innocent autant que la colombe [...]. L'innocence est cette insensibilité ou cet amour qui ne vous dénonce personne. Le sentiment de l'égalité complète, de l'association absolue avec toutes les races et espèces, morales ou physiques, c'est cela l'innocence » *(Littérature)*. Indifférenciation qui nous amène à « l'indifférence » giralducienne et la distingue quelque peu de l'insensibilité : « Il éprouvait plus vivement sa propre liaison physique avec les éléments [...]. Il n'avait plus de préférence pour personne [...]. Par un surcroît de modestie et une hypertrophie de la sensibilité, il en arrivait aux sommets de l'indifférence » *(Églantine)*. Cette distance *a priori* n'est pas sans séduction; ici encore, Hélène le montre bien dans *la Guerre de Troie n'aura pas lieu.*

La jeune fille, la femme et le couple On l'a vu, l'âge déjà rend incompatibles la jeune fille et la femme « Le vrai sexe, c'est l'âge » *(Églantine) ;* mais surtout il y a opposition de nature entre la femme offerte, ouverte au monde ou à l'homme, et la vierge inattingible : « Celle-là avait évidemment pour mission d'accepter le plus possible, et celle-ci le minimum » (*Juliette au pays des hommes*, IV). La jeune fille s'oppose, par son intégrité physique (même dans l'acte amoureux), à sa mère : « une mère c'est-à-dire un être [...] qui, quel qu'il puisse être, donne l'exemple de l'être féminin impur et dégradé. Aux abords d'une mère, bien rare est la jeune fille vraiment intègre dans son orgueil et dans sa dignité » (*les Aventures de Jérôme Bardini*, II); l'opposition d'Électre et de Clytemnestre confirme avec éclat.

Pourtant cette femme, qui a trahi la jeune fille en elle, retrouve toute sa dignité si elle forme avec l'homme un véritable couple, cette harmonie qui n'existe que dans l'union consciente de sexes qui se savent différents : « La plupart des hommes épousent une médiocre contrefaçon des hommes, un peu plus retorse, un peu plus souple, un peu plus belle, s'épousent eux-mêmes » *(Choix des élues)*. Mais quand cette différence est assumée comme une complémentarité, le couple devient la mesure même de l'harmonie universelle; dans *Sodome et Gomorrhe*, Dieu est prêt à sauver le monde s'il existe un seul couple parfait (c'est-à-dire heureux), et dans *Amphitryon 38*, Jupiter rend hommage aux époux qu'il n'a pu dissocier : « J'aime votre couple. J'aime, au début des ères humaines, ces deux grands et beaux corps sculptés à l'avant de l'humanité comme des proues » (III, 4). Le couple s'élargit en foyer par la venue d'enfants et reste « cette petite république dont le civisme était le bonheur » *(Choix des élues)*; d'où, dans *la Guerre de Troie n'aura pas lieu*, la présence en Andromaque de l'enfant à naître (I, 1-3), et de la petite Polyxène près d'Hécube; présence si rare dans le théâtre de notre « Belle Époque ». Face aux pièces égrillardes du Boulevard, Giraudoux retrouve le goût des choses simples, charme de l'enfance, bonheur conjugal, sensualité franche.

Sensualité et imagination anti-bourgeoises

Jamais il n'est aussi souvent et simplement question de nudité que dans les œuvres de Giraudoux : « La vérité est nue comme vous, mais elle porte sa nudité ainsi qu'un uniforme » *(Provinciales)*; cet uniforme semble bien avoir été celui d'Hélène dans *la Guerre de Troie n'aura pas lieu.* Aussi bien, la sensualité, même la plus explicite, la plus tranquillement impudique, n'est pas impure pour autant : « Sensualité : je connaissais ce mot. Il ne m'avait pas paru, jusqu'à ce jour, ennemi du mot pureté, du mot fierté » (*Simon le Pathétique*, VI).

De la bourgeoisie, Giraudoux, aristocratique d'attitude autant que modeste d'origine, rejette avec la salacité l'esprit conventionnel et le goût du cliché : « Tous les attelages classiques créés entre les mots pour un usage bourgeois se déliaient sur elle » (*Combat avec l'ange*, II); la passion de l'immobilisme, le conservatisme étroit : « J'appelle bourgeois tout ce qui est par opposition à tout ce qui tend à être » *(Littérature)*. Cela est vrai plus encore en politique qu'en littérature : « S'avérer définitivement inapte à un monde moderne, et inutile à ce monde. C'est là l'apathique bourgeois, termite de sa maison et de sa patrie même [...]; l'ordonnance des gestes et des mœurs de la nation devint bourgeoise, c'est-à-dire mesquine et présomptueuse » *(Sans pouvoirs)*. Tout cela n'a pas fini de résonner aujourd'hui, ainsi que la dénonciation de la bourgeoisie récupératrice : « En France, le sort de tout appel à une vérité extérieure aux classes est de devenir le lot ou l'amusement de la seule classe curieuse, qui est justement celle de la bourgeoisie lettrée » *(Littérature)*. Nous voici au seuil de la politique, pour laquelle Giraudoux entendait mobiliser les vertus anti-bourgeoises : « Splendeur et Imagination » (*Pleins Pouvoirs*, IV). Car, pour lui, la crise était une affaire avant tout de politique intérieure : « Notre crise n'est pas une crise d'événements extérieurs qu'un miracle peut résoudre, mais une crise intérieure » (*Les Cinq Tentations de La Fontaine*, I).

Politique intérieure La modernité de tout ce qui précède est frappante, notamment dans les essais politiques, où Giraudoux, prophète de notre temps, constate la primauté de l'économie et de la gestion : « Allemands, Américains, Français même, veulent [...] que la politique soit faite, non plus par des apôtres dangereux, mais par des fondés de pouvoir et des hommes d'affaires » *(Littérature)* ; de la démographie : « Le plan quinquennal de la France est celui qui donnera, dans cinq ans, une courbe ascendante de naissances, une courbe descendante de décès. Tout le reste n'est que chandelles autour d'un mourant » (*Pleins Pouvoirs*, II); de l'urbanisme moderne : « Les dirigeants de la cité, l'architecte, l'ingénieur, l'écrivain, le légiste, le médecin » *(id.)* ; du sport et de l'hygiène : « Tous les droits conquis par nos régimes de liberté politique paraissent singulièrement ridicules dans cette existence [...]. Le droit à la santé dans une ferme bordée de purin ou dans un bâtiment ouvrier qu'aucune loi ne soumettait à la désinfection... » *(Sans pouvoirs)* ; enfin de la construction européenne : « Malgré tant de combats, tant de haines, notre fraternité d'Européens... » *(La France sentimentale)* ; contre le nationalisme stérile « La nation se venge de la perte de ses vertus humaines par le nationalisme et les frontières » *(Sans pouvoirs)*.

France et Allemagne, nations et guerre Giraudoux écrivait, peu avant l seconde guerre mondiale, « qu'au guerres entre les peuples se substituait maintenant, une pesée entre les peuples, et que la simpl bascule l'emportait sur le duel » *(Pleins Pouvoirs)*, et c'es l'actuelle compétition économique qu'il prédisait ainsi l'anné même de Munich, meilleur prophète de notre temps que d sien. Entre les deux antagonistes principaux d'alors, la Franc et l'Allemagne, il songeait plus à la réconciliation qu'à la lutte armée. Cet ancien germaniste sentait entre le génie des deux pays moins de rivalité que de complémentarité, et il le montra, débarrassé des ornementations et joliesses du roman, dans sa pièce *Siegfried.* Il souhaitait que la sagesse française modérât la capacité illimitée de mystique et de puissance germanique, et que cette capacité fécondât la modération française trop étriquée.

Mais la montée des périls devait l'amener à envisager que la pesée entre les nations, faute de leur union, devait fatalement se prolonger par une guerre. L'ordre du monde se refusait à l'ordre souhaité par les hommes lucides; c'est ce qu'il traduit par la notion de destin dès *la Guerre de Troie n'aura pas lieu.*

Destin, dieux et religion Sérénité païenne, avons-nous dit de la sagesse giralducienne prônant une éthique du bonheur, et fatalisme devant l'ordre du monde; mais ce retour à l'antique ne va pas jusques à croire aux dieux. Ceux-ci apparaissent comme mythiques, serviteurs eux-mêmes du destin, qu'ils ne déterminent point; d'où les oracles contradictoires, donc insignifiants, de *la Guerre de Troie n'aura pas lieu.* Devant ce scepticisme, le Dieu unique du christianisme ne reçoit que de théoriques hommages, Giraudoux lui reconnaissant mille vertus (civilisatrices surtout), hors celle d'exister. Quant aux religions, notre auteur partage généralement l'anticléricalisme diffus du temps de sa jeunesse (cf. *Judith*), à ceci près qu'il dirige surtout ses traits contre le protestantisme qu'il lie au mercantilisme et au puritanisme bourgeois (cf. *Supplément au Voyage de Cook*); le catholicisme de tradition, rural notamment, lui semble en accord avec la sagesse provinciale qu'il aime. Mais il est clair que, pour son compte, il lui substitue « un monde où le désir est remplacé par une satisfaction continuelle, et la religion envers Notre-Seigneur par la politesse envers sa création » *(Les Aventures de Jérôme Bardini).*

Sourire stoïque Sceptique et souvent pessimiste de nature, Giraudoux arbore un sourire de « tenue » qui nous rappelle que l'humour peut être la politesse du désespoir et que l'harmonie est un état plus rêvé que donné, obtenu par l'ascèse visionnaire de l'artiste; l'humanisme sans illusions et le paganisme actif s'accordent avec la pratique de l'art « non pour se retirer à une actualité angoissante, mais au contraire, pour la trouver, avec ces personnages inventés, dans la pureté et la vérité que les personnages réels lui enlèvent » (*Pleins Pouvoirs*, I). C'est le rôle du théâtre.

LES PRINCIPES DU THÉÂTRE GIRALDUCIEN

Style et dialogue Parce que Giraudoux écrivait bien, on l'a couramment accusé de faire du « théâtre littéraire ». Dans *l'Impromptu de Paris*, il se défend contre ce préjugé, qui révèle combien le théâtre du Boulevard méprisait la langue française : « C'est alors qu'on a trouvé pour les pièces où elle n'était ni insultée ni avachie un qualificatif qui équivalait, paraît-il, aux pires injures, celui de pièces littéraires » (sc. 3). Il contre-attaque : « Le théâtre françai a été gravement atteint dans sa noblesse, qui est le verbe et dans son honneur, qui est la vérité » *(id.)*. Il n'est pas loir de donner la primauté au style, mettant l'honneur du comédier dans les pièces « où il n'a plus qu'à être la statue à pein animée de la parole » *(ibid.)*, et il voit en tout cas, dans l style, une condition nécessaire (sinon suffisante) de la qualit dramatique. D'où la place des dialogues dans sa dramaturgie l'action théâtrale revenant, pour le spectateur, à « branche ses soucis et les conflits de sa vie et de son imagination person nelle sur un dialogue modèle qui peut les élucider » *(Litté rature)*.

Encore faut-il bien voir que ce dialogue est action, affror tement; les personnages qui y confrontent leurs positior incarnent moins des individus particuliers que des attitud ou des vues sur les grands problèmes que peuvent se poser l hommes; sans opérer comme des porte-parole abstraits à l manière du théâtre « à thèses », ils échappent donc aus à la psychologie personnalisante du théâtre réaliste, q Giraudoux remet vivement en cause : « On disait il e cinq heures, et il y avait une vraie pendule qui sonna cinq heures » (*L'Impromptu de Paris*, sc. 1). A quoi il oppo agressivement : « Si la pendule sonne 102 heures, ça commen à être du théâtre » *(id.)*, ouvrant la voie à la fantaisie ve ce qu'elle a de plus moderne aujourd'hui.

De même, il récuse la dictature de la mise en scène, qu fait définir, par les acteurs de Jouvet, « une pièce où tout résonance pour notre voix, une scène où tout est solide facile pour nos pieds » *(ibid.)*. Plus empirique dans les fai Giraudoux tenait d'ailleurs le plus grand compte des leço de la scène, — réactions des acteurs aux répétitions ou d spectateurs aux représentations —, et il a fréquemme modifié son texte initial en conséquence. Car, s'il tenait à la qualité des dialogues, il leur voulait aussi une efficacité et une action dramatiques.

Dramatisation par débat et engagement affectif

Il est en effet nécessaire d'animer les vertus verbales précédemment requises : « Le théâtre est un microcosme où doivent éclater à leur plus grande couleur et leur plus grande passion les penchants, les facultés, les perfectionnements poétiques, moraux et sensuels d'une époque » *(Littérature)*. Giraudoux le fait d'abord en amenant à s'affronter sur scène des prises de position avec lesquelles il sympathise, même si elles sont contradictoires. Dans *la Guerre de Troie n'aura pas lieu*, il coïncide ainsi, tantôt ou à la fois, avec le Géomètre épris de beauté et avec Hector qui récuse l'esthétique au nom du bonheur, avec Cassandre au pessimisme lucide et avec Andromaque aux généreuses espérances, avec le juvénile Hector et avec le sage Ulysse, etc.

Mais aussi, prenant chaque attitude dans sa justification la meilleure, il nous fait sympathiser avec elle au maximum, quitte d'ailleurs à la faire dépasser et éclipser par celle avec laquelle elle se mesure ensuite, tel Hector devant Ulysse (II, 13).

Enfin, les positions engagées ne sont pas futiles, mais à la fois très simples et très fondamentales pour chaque spectateur qui vient « voir de grandes figures, des figures proches et inapprochables, jouer dans la noblesse et l'indéfini sa vie humble et précise » *(Littérature)*.

Message inclus et parabole mythologique

Ce théâtre, dont on ne veut souvent retenir que les facettes spirituelles ou poétiques, est un des plus riches en pensées ou réflexions sur la vie de l'être humain; simplement, il ne se donne pas la solennité ou le didactisme de paraître tel, comme font tant de pièces « d'idées » ou d'idéologie : « Si le lecteur cherche dans sa lecture des révélations, le spectateur ne désire dans son spectacle que des jouissances » *(Littérature)*. Cette politesse envers la délectation du spectateur et l'agrément du spectacle fait récuser à Giraudoux le théâtre « à thèses » : « Le vrai public ne comprend pas, il ressent [...] le théâtre n'est pas un théorème mais un spectacle, pas une leçon, mais un filtre. C'est qu'il a moins à entrer dans votre esprit que dans votre imagination et dans vos sens » (*L'Impromptu de Paris*, sc. 3).

Cela ne l'empêche nullement de se prêter à merveille, après le charme synthétique de la représentation (ou de la lecture cursive), à l'étude attentive par la lecture analytique. Giraudoux entendait bien proclamer ce qu'il avait à dire par le théâtre, en lequel il voyait le contraire de la lettre anonyme; on se rappelle qu'il situe l'honneur du théâtre dans la vérité : non celle d'un « réalisme » scénique qu'il récuse, mais celle des messages et attitudes. Il compte même sur une action effective du théâtre, et l'on croit rêver en voyant des esprits activistes opposer aujourd'hui ses pièces à celles d'auteurs « engagés »; il dit en effet : « Il n'y a plus d'orateur là où le théâtre est enroué. Tandis que rien n'est perdu si chaque soir le parvenu, le concussionnaire, le cuistre doit se dire — tout irait bien, mais il y a le théâtre — et si l'adolescent le savant, le ménage modeste, le ménage brillant, celui qu la vie a déçu, celui qui espère en la vie, se dit — tout irai mal, mais il y a le théâtre! » (*id.*, sc. 4).

D'ailleurs la pensée rejoint la dramaturgie lorsque l'ordr du monde intervient sous la forme de la fatalité : « L'actio tragique n'a jamais consisté [...] qu'à projeter la fatalité su un être choisi » *(Littérature)*. Ainsi le fatalisme et la fatalit coïncident-ils dans *la Guerre de Troie n'aura pas lieu.*

Enfin, pour que la valeur universelle de ses idées nou atteigne, et non tel aspect d'opportunité à la mode, Giraudou les fait souvent cristalliser autour d'un des grands thème actifs de la mythologie humaine : légendes grecques *(Amph tryon 38; la Guerre de Troie n'aura pas lieu; Électre)*, latin (ébauche d'un *Brutus* en 1934; un acte des *Gracques; Po Lucrèce* en transposition sous le second Empire), bibliqu *(Judith; Sodome et Gomorrhe)* ou germaniques *(Ondine,* il les dépayse de leur origine pour les rapprocher de no par des anachronismes plus ou moins étendus, selon d procédés hérités de l'opérette *(La Belle Hélène; Phi-Ph* ou du théâtre de son temps avec le Claudel de *l'Endorm* (1888) et de *Protée* (1912), le Gide de *Saül* (1896) et surto d'*Œdipe* (1930), le Cocteau d'*Orphée* (1926) et de *la Machi infernale* (1934). Ainsi la mythologie, soudée à l'actualité d' « théâtre où transparaît une époque » *(Littérature)*, acquiert-elle la profondeur et la substance inépuisable mythe.

LES PARENTÉS DE LA PIÈCE

L' « Iliade » La présentation du substrat mythologique nous fera voir les points communs à l'épopée et à la pièce; ils donnent une ligne d'ensemble. Il nous reste donc ici à relever des ressemblances de détail et les modifications apportées à Homère par Giraudoux.

Acte I, scène 4 — Hector s'en prend à la légèreté de Pâris comme dans l'*Iliade* (chant III, v. 39); en revanche la pièce prétend qu'aucun tort n'a été fait à Ménélas, alors que l'épopée insiste sur l'outrage envers Ménélas, hôte de Pâris (chant III, v. 354). Pâris refuse la restitution d'Hélène comme chez Homère (chant VII, v. 357); mais la pièce prête cette attitude aux Anciens qui, dans l'*Iliade* (chant III, v. 156-160), acceptent son départ, même s'ils comprennent une guerre dont elle serait l'enjeu. Homère les traite de cigales discoureuses (chant III, v. 150) et Giraudoux de cigognes caquetantes. Dans la pièce, Pâris récuse Hector au nom de l'autorité supérieure de Priam, mais dans l'épopée Hector a toute l'autorité de fait, et c'est à lui que s'adresse Iris de préférence à Priam (chant II, v. 786). Enfin, l'Hélène de Giraudoux se montre sans gêne ni pudeur, et celle d'Homère était humble, repentante ou révoltée, sanglotante (chant II, v. 356 et 390) et se traitant de chienne (chant III, v. 180).

Acte I, scène 9 — Hector imagine et Hélène reconnaît le cadavre de Pâris traîné derrière un char, alors que chez Homère ce sort est réservé à Hector (chant XXII, v. 396 et suiv.).

Acte II, scène 4 — Les Troyens s'entraînent aux injures; or l'*Iliade* (chant XX, v. 244-256) nous montre Énée jugeant infantile le recours d'Achille à des insultes.

Acte II, scène 13 — La balance penche du côté du plus fort, tandis que, chez Homère, celle de Zeus penchait vers celui dont la chute et la mort étaient ainsi annoncées (chant XXII, v. 209-213).

Giraudoux a donc modifié soit l'interprétation (attitude des Anciens, d'Hélène), soit des détails, auxquels il nous faut maintenant ajouter divers anachronismes.

Ces derniers constituent parfois des amusements dans le style opérette *(La Belle Hélène; Phi-Phi)* ou fantaisie parodique (*En marge des vieux livres* de Jules Lemaître; *Elpénor* de Giraudoux) : à l'acte II, scène 12, le cuissard médiéval remplace la cnémide, les termes de marine sont médiévaux aussi (roulis, tangage, hune, gabier, soutier, enseigne), Astrakhan

n'est pas une cité antique et on voit mal un matelot gre
sur une mer « intérieure » russe!

Plus souvent, l'anachronisme souligne l'analogie entre l
situation de la pièce et celle des anciens combattants d
1914-18 :

cette guerre était la dernière (I, 1) → « la der des der »
coupé l'index de la main droite (I, 3) → la mutilation volon
taire du soldat (qui empêche l'usage du fusil) en vue de l
réforme;
la race de la guerre (I, 3) → l'Allemagne d'alors;
les anciens combattants qui *ne veulent pas de la guerr*
(I, 3) → « plus jamais ça ».

Le dialogue entre Hector et Pâris (I, 4) ressemble au déb
et à la fin à celui d'un ancien combattant avec un jeu
« embusqué » de « l'arrière », adonné aux jouissances d'u
après-guerre frénétique; acte II, scène 4, le *vin à la rési*
rappelle le « pinard des tranchées », la fraternisation ent
tranchées ennemies est aussi un classique de la Grande Guerr
ainsi que les médailles ou les fausses nouvelles (« bourra
de crâne »); à la scène suivante, l'allusion est nette a
discours de Poincaré devant les monuments aux mort
acte II, scène 10, le rang de Demokos chef du Sénat inv
à penser à Barrès député et chroniqueur inlassable de la guer
héroïque (vue de l'arrière); acte II, scène 13, les entrevu
au bord d'un lac rappellent l'après-guerre de Locarno,
l'hypothèse d'un attentat, celui de Sarajevo, d'où so
1914-18, et peut-être celui, plus récent, où périt Alexandre
Yougoslavie à Marseille en 1934.

Enfin, il est quelques anachronismes sans intentions, c
à la désinvolture de l'auteur; ainsi des portes de la guerre (I,
qui, dans l'histoire, étaient celles de Janus, et c'est à Ro
non à Troie, qu'on les ouvrait ou fermait.

« Troylus et Cressida », de Shakespeare

Cette pièce étale son action
marge de celle de l'*Iliade*, et pa
recoupe quelque peu la nôtre,
Troïlus apparaît au début de l'acte II.

Acte I, scène 3 de Giraudoux — L'amour parad
d'Hector pour l'ennemi qu'il va tuer est l'écho de son ex
rience guerrière, mais peut-être aussi de Shakespeare (IV,
« Énée. — J'en jure par la main de Vénus, nul homme
peut aimer plus complètement l'être qu'il espère tuer. »

Acte I, scène 6 — La louange d'Hélène par les Tro
répond à celle que fait Troylus (II, 2) : « Hélène est
perle [...] elle est pour nous le thème de la renommée e
l'honneur, l'éperon qui pousse aux vaillantes et magnani

actions »; Demokos honore les femmes en hommage à sa mère, et Troylus aussi (V, 2).

Acte II, scène 1 — La timidité amoureuse de Troïlus répond à celle du Troylus shakespearien : « Mais moi, je suis plus faible qu'une larme de femme, plus timide que le sommeil, plus niais que l'ignorance, moins vaillant qu'une vierge la nuit, et moins habile qu'un enfant sans expérience » (I, 1).

Enfin, si la préciosité des deux auteurs a quelques points communs, c'est dans la pièce de Shakespeare que Giraudoux a pu trouver une caution pour ses hardiesses de langage cru (« cul de singe », par exemple) ou sensuel.

« La Guerre et la Paix » de Tolstoï On sait que, vers 1930, Giraudoux avait lu Tolstoï et subi fortement l'influence de sa philosophie fataliste de l'histoire. Pour le romancier russe, en effet, l'idée essentielle est, comme dans les propos d'Ulysse (II, 13), la disproportion entre les événements et la volonté des hommes : « Devant certains phénomènes historiques dénués de sens, ou plutôt dont le sens nous échappe, le recours au fatalisme est indispensable « (Livre I, 1re partie, chap. 1). Ce point de vue repose, comme l'optique giralducienne, sur le rejet d'une vision anthropocentrique des choses : « En considérant l'histoire à un point de vue général, nous sommes persuadés de l'existence d'une loi éternelle qui régit les événements. Mais en considérant l'histoire du point de vue personnel, nous avons la conviction du contraire » (Appendice, chap. 6).

Malgré l'apparence, il ne s'agit pas là d'une volonté divine : « Pour les Anciens, ces questions étaient résolues par la foi en la participation directe de la Divinité dans les affaires humaines » (Épilogue, 2e partie, chap. 2); la science historique rejette toute interprétation transcendante ou verbaliste : « Les mots *Hasard* et *Génie* ne signifient rien qui soit réellement existant » (Épilogue, 1re partie, chap. 2); elle ne peut retenir que la situation relative et la volonté collective inconsciente des peuples : « Le sens profond des événements européens du XIXe siècle réside dans le mouvement guerrier des masses populaires d'Europe, d'Occident vers l'Orient, puis de l'Orient vers l'Occident » (Épilogue, 1re partie, chap. 3).

Tel est le fondement de ce qu'Ulysse explique plus poétiquement à Hector dans la grande scène 13 de l'acte II.

Opérettes « D'abord on a très peur. Est-ce *la Guerre de Troie n'aura pas lieu* ou *la Belle Hélène?* [...] Et que sort-il de tout cela? Des couplets. Oh! ravissants, filés à merveille. Mais enfin des couplets, aussi raccrocheurs

dans leur genre que ceux du vieil Opéra-Comique. » Tel
était, en octobre 1967, l'impression de Morvan Lebesqu
devant le passage de notre pièce à la télévision.

Elle a en effet de commun avec la célèbre opérette d'Offenbac
la désinvolture et l'irrespect envers la légende épique, d
traits caricaturaux ou anachroniques, la mise en éviden
d'une histoire d'amour plus sensuelle que morale, et
charme sautillant ou « raccrocheur » des couplets.

On peut aussi penser à une opérette de l'immédiat aprè
guerre de 1914-18, de sujet hellénique (sinon homérique
Phi-Phi (c'est de Phidias qu'il s'agit!) avec « son cockt
d'allusions mythologico-historiques, d'impertinences et
jeux de mots d'actualité, [...] sa franche grivoiserie », comn
dit à son sujet le critique discographique du *Monde*.

Les œuvres de Giraudoux Notre pièce se relie, par la thématiq
même de son auteur, à plusieurs de s
œuvres, souvent antérieures, parfois ul
rieures. Dès *l'École des indifférents*, le « faible Bernard
voulut « empêcher la guerre de Troie », mais « Troie dev
périr ». Aussi généralement, *Siegfried* avait déjà porté sur
scène la dynamique de l'hostilité et de la réconciliation en
deux peuples, et *Judith*, soulevé le problème de la valeur
la guerre et des rapports entre l'action humaine et une décisi
extra-humaine.

De façon plus détaillée, dans la scène initiale, l'emp
absolu du verbe « affirmer » et de ses dérivés (voir l. 37,
et 51) annonce l'emploi d'autres verbes ainsi privilég
dans *Électre* (se déclarer, faire signe), et la croissance
destin y sera incarnée plus scéniquement par celle des peti
Euménides d'acte en acte.

Acte I, scène 3 — Le pessimisme d'Hector sur le caract
inné du goût de l'homme pour la guerre annonce celui
Sodome et Gomorrhe (II, 2), tandis que l'analyse des imp
sions guerrières rappelle les souvenirs de guerre *(Lect
pour une ombre; Adorable Clio;* voire *Siegfried)*.

Acte I, scène 4 — La tirade où Pâris dit son goût des rupt
de liaison rappelle la joie du narrateur dans *Siegfried e
Limousin* quand le train l'emmène loin de sa maîtr
(ch. III).

Acte I, scène 6 — Hélène donne son sens au paysage com
faisait Isabelle dans *Intermezzo :* « Près de chaque être,
chaque objet, elle semble la clef destinée à le rendre comprél
sible » (I, 3) et donne aux vieillards une sorte de nouvelle
morale, comme fera l'Agnès de *l'Apollon de Bellac*. En
la critique des rimes en poésie figurait déjà dans les anac
nismes d'*Elpénor*.

Acte II, scène 4 — Le bref pastiche d'hymne national rappelle la « Marseillaise des petites filles » dans *Intermezzo.*

Acte II, scène 5 — L'allusion aux discours de Poincaré répond à un développement sur ce sujet dans *Bella*, tandis que le refus par Hector de croire à une vie des morts prend le contre-pied des rêves d'Isabelle dans *Intermezzo* (I, 8; II, 6; III, 4).

Acte II, scène 8 — L'aimantation sensuelle avait déjà été mentionnée dans *Amphitryon 38* (III, 5) et *Intermezzo* (I, 5), et le refus de la pitié est la thèse de *Combat avec l'ange*, tandis que l'indifférence n'est pas sans rappeler le dandysme de *l'École des indifférents;* quant au couple parfait, celui d'Hector et Andromaque peut répondre à celui d'*Amphitryon 38*, qui justifie tout, et celui de Pâris et d'Hélène annonce ceux de *Sodome et Gomorrhe*, incapables de conjurer la catastrophe.

Acte II, scène 12 — La tirade du bouleau reprend un développement amorcé dans *Suzanne et le Pacifique* (IV).

Acte II, scène 13 — L'idée d'une jalousie des dieux à l'égard des hommes a déjà été soutenue dans un article sur la caricature (repris dans *Littérature*), et surtout les thèses politiques recoupent *Pleins Pouvoirs* sur la gravité des fautes intérieures d'un pays, *Électre* sur le rôle fatal des « femmes à histoires » (I, 2) et *l'École des indifférents* sur les « grandes ressemblances qui balafrent le monde ».

Variantes et genèse Les variantes de l'édition *Ides et Calendes* (t. XIV) proposent deux fragments inédits, antérieurs à la version scénique.

Le premier porte sur l'acte I : la scène 4 y donne le discours aux morts (II, 5 du texte de scène) et se termine en annonçant l'arrivée des Grecs (I, 9 du texte de scène); la scène 5 enfin confronte Andromaque et Hélène (II, 8 du texte de scène).

Ce fragment, essentiel, montre que primitivement Giraudoux envisageait d'accumuler dans l'acte I tout ce qui n'était pas la confrontation avec les Grecs (Oiax et surtout Ulysse) à laquelle il aurait consacré tout l'acte II.

En outre, le texte définitif diffère quelque peu de celui des premières représentations (cf. *Revue de Paris* du 1-12-1935 et *Petite Illustration* du 14-12-1935) auquel il retranche des notations pittoresques, jeux de mots et saillies drôlatiques, et rajoute au second acte l'actuelle scène 3 en son entier, et (dans l'actuelle scène 5) l'épisode de Busiris, qui jette un obstacle sur la route d'Hector et regorge de comique satirique.

Tout montre une ascèse qui renonce au foisonnement initial de la verve pour assurer la netteté scénique par les vertus classiques de la concentration et de l'équilibre.

LE SUBSTRAT MYTHOLOGIQUE

La légende Elle s'appuie sur des faits de base dont l'historicité a été établie au siècle dernier par l'Allemand Schliemann, qui découvrit en Turquie d'Asie, sur le site de ces Dardanelles où Giraudoux devait être blessé en 1915, l'emplacement de Troie, avec plusieurs cités superposées, dont l'une avait été détruite et incendiée vers le XIIe siècle av. J.-C.

Hors cela, voici l'essentiel, tiré des légendes, tant épiques (*Iliade* d'Homère) que dramatiques (*Hécube*, *Hélène*, *Andromaque*, *Troyennes*, d'Euripide).

Héra (épouse de Zeus, le dieu des dieux), Pallas Athéna (déesse de l'intelligence) et Aphrodite (déesse de la beauté et de l'amour, la Vénus des Latins), rivalisant à qui serait reconnue la plus belle, prirent pour juge le beau Pâris, prince troyen, sur le mont Ida en Troade. Aphrodite, qui lui promit la possession de la femme la plus belle, en reçut la pomme, insigne de beauté suprême (d'où l'appui d'Aphrodite aux Troyens, et l'hostilité envers eux de Pallas et d'Héra). La plus belle femme était Hélène de Sparte, fille de Léda (épouse de Tyndare, roi de Sparte) et de Zeus (sous la forme d'un cygne); elle avait eu une nuée de prétendants auxquels Tyndare fit jurer de porter secours en cas de besoin à celui d'entre eux qui serait choisi pour épouser la belle Hélène; l'élu fut Ménélas. Lorsque Pâris se rendit à Sparte, il séduisit et enleva Hélène, et l'emmena à Troie. Vainement réclamée par les Grecs, elle devint l'occasion d'une guerre où tous les princes grecs, liés par leur serment, mirent dix ans à prendre et détruire Troie (après deux vaines négociations menées par Ulysse). Troie tomba peu après la mort de son héros, Hector, tué par Achille qui traîna en triomphe son cadavre après son char; Astyanax, fils d'Hector, Pâris et Troïlus, frères du héros, Polyxène leur sœur et Priam leur père périrent aussi; Hécube, mère d'Hector, Andromaque, sa veuve, Cassandre, sa sœur, furent emmenées en captivité; quant à Hélène, elle dut son salut à sa beauté et revint avec Ménélas vivre honorée à Sparte.

Index des noms cités ANCHISE : cousin germain de Priam, il eut d'amours avec Aphrodite un fils, Énée, qui sera le héros de l'*Énéide* de Virgile.

ANDROMAQUE : fille d'un roi de Mysie tué avec ses sept fils par Achille un peu avant la mort d'Hector; épouse de ce dernier et mère d'Astyanax, puis captive du fils d'Achille après la chute de Troie.

APHRODITE : déesse de la beauté et de l'amour, née de la mer près de Cythère et de Chypre (îles qui lui furent consacrées). Mère d'Énée. Pour prix de la pomme de beauté, elle promit Hélène à Pâris et soutint les Troyens dans leur guerre.

ASTYANAX : jeune fils d'Hector et d'Andromaque, jeté du haut d'une tour par les Grecs vainqueurs, sur le conseil d'Ulysse.

CASSANDRE : fille de Priam et d'Hécube, jumelle d'Hélénus avec lequel elle reçut le don de prophétie; vierge, elle refusa ses faveurs à Apollon qui lui retira le don, non pas de prédire, mais d'être crue; d'ailleurs elle eut surtout des catastrophes à prophétiser, et son nom est passé en proverbe pour désigner un prophète de malheur.

DEMODOKOS : nom de deux aèdes (poètes musiciens), qui a pu pousser l'auteur à changer, pour son poète belliciste, le nom primitivement choisi de Domikos en Demokos.

GORGONES : Sthéno, Euryalè et Méduse; cette dernière, seule mortelle des trois, est souvent appelée Gorgone comme étant par excellence ce type de monstre (regard pétrifiant, tête avec défenses et chevelure de serpents, mains de bronze et ailes d'or); elle fut tuée par Persée; de sa tête coupée jaillit le cheval ailé Pégase, et sa tête fut mise par Pallas Athéna sur son égide.

HECTOR : fils aîné de Priam et d'Hécube, héros militaire et chef réel de la cité; époux d'Andromaque et père d'Astyanax. Tué par Achille et traîné par lui après son char autour de Troie.

HÉCUBE : épouse de Priam, mère de dix-neuf enfants, quasi tous morts quand elle partit en captivité après la chute de Troie.

HÉLÈNE : fille de Léda (femme de Tyndare, roi de Sparte) et de Zeus (qui avait pris la forme d'un cygne); sortie d'un œuf ainsi que son frère Pollux, elle était immortelle comme lui, à la différence de leur frère et de leur sœur tyndarides, Castor et Clytemnestre. Les deux sœurs épousèrent deux frères, Ménélas et Agamemnon (le roi des rois). Après l'enlèvement d'Hélène par Pâris, à qui Aphrodite l'avait promise, ses anciens prétendants s'unirent à son mari pour la réclamer aux Troyens (ambassade d'Ulysse); le refus entraîna une guerre de dix ans et la destruction de Troie. Sauvée par sa beauté, Hélène fut ramenée à Sparte par Ménélas, et elle y donna l'exemple de toutes les vertus familiales et domestiques.

IRIS : messagère ailée des dieux, symbolisant le lien entre le Ciel et la terre, que rend visible l'arc-en-ciel, appelé écharpe d'Iris.

MÉNÉLAS : fils d'Atrée et frère d'Agamemnon; épou d'Hélène et gendre du roi Tyndare qui lui légua le royaum de Sparte.

PALLAS ATHÉNA : elle naquit toute armée de la tête de Zeus déesse guerrière de l'intelligence, elle protège les Grecs notamment Ulysse; patronne d'Athènes, elle lui a donn l'olivier; son emblème est la chouette (oiseau de Minerve

PÂRIS ALEXANDRE : fils cadet de Priam et d'Hécube, séduisit par son faste et sa beauté Hélène de Sparte et l'enlev pour l'amener à Troie; il fit échouer les négociations mené en vue d'une restitution, combattit inégalement à la guerr et vengea Hector en tuant Achille, avant de périr aussi.

PÉNÉLOPE : nièce de Tyndare (roi de Sparte) qui la mar avec Ulysse pour remercier ce dernier du conseil de fai prêter aux prétendants d'Hélène serment de solidarité av qui l'épouserait. Modèle de fidélité conjugale, elle atten Ulysse près de vingt ans, veillant sur leur fils Télémaque.

POLYXÈNE : la benjamine de Priam et d'Hécube; tuée p Achille.

PRIAM : souverain de Troie, époux d'Hécube et père multiples enfants; trop âgé pour combattre, c'est un cl sage et pieux; tué par Pyrrhus, fils d'Achille, à la chute Troie.

TROÏLUS : le benjamin de Priam et d'Hécube; tué Achille.

ULYSSE : prince d'Ithaque, époux de Pénélope et père Télémaque; chef grec rusé au combat *(Iliade)*, il mit dix à rentrer chez lui *(Odyssée)*.

ZEUS : dieu des dieux, pesant le destin à la balance.

Index des lieux cités ARCHIPEL : les îles innombrables de la Égée (entre la Grèce et la Turquie).

ASTRAKHAN : ville d'U. R. S. S. au n de la mer Caspienne (intérieure); nom ici anachronique.

HELLESPONT : actuel détroit des Dardanelles.

MAGNÉSIE : nom de plusieurs villes d'Asie Mineure (tur aujourd'hui), sises sur des fleuves et distantes de la mer

PHRYGIE : arrière-pays de Troie.

PONT : royaume sur le Pont-Euxin (actuelle mer N au nord-est de la Turquie actuelle.

SCAMANDRE : fleuve côtier coulant aux pieds de Troie

SYRACUSE : ville du sud-est de la Sicile.

TAURIDE : l'actuelle Crimée en U. R. S. S.

THRACE : l'actuelle Turquie d'Europe (au nord Dardanelles).

TROIE : cité antique sise près de l'entrée méditerrané des Dardanelles (la citadelle était Ilion; d'où l'*Iliade*).

LA GUERRE DE TROIE N'AURA PAS LIEU

PERSONNAGES

ANDROMAQUE
HÉLÈNE
HÉCUBE
CASSANDRE
LA PAIX
IRIS
Servantes et Troyennes
La petite Polyxène
HECTOR
ULYSSE
DEMOKOS
PRIAM
PÂRIS
OIAX
LE GABIER
LE GÉOMÈTRE
ABNÉOS
TROÏLUS
BUSIRIS
OLPIDÈS
Vieillards
Messagers

LA GUERRE DE TROIE N'AURA PAS LIEU a été représentée pour la première fois le 21 novembre 1935 au Théâtre de l'Athénée, sous la direction de Louis Jouvet. Les principaux rôles étaient tenus par Mmes Falconetti (Andromaque), Madeleine Ozeray (Hélène), Paule Andral (Hécube), Marie-Hélène Dasté (Cassandre); et par MM. Louis Jouvet (Hector), Pierre Renoir (Ulysse), José Noguero (Pâris), Robert Bogar (Priam).

PH. ROBERT DE

CASSANDRE. — ... Et la guerre de Troie aura lieu (I, 1, l. 8).

PREMIER ACTE

Terrasse d'un rempart dominé par une terrasse et dominant d'autres remparts.

SCÈNE PREMIÈRE

ANDROMAQUE, CASSANDRE, UNE JEUNE SERVANTE

ANDROMAQUE. — La guerre de Troie n'aura pas lieu, Cassandre.

CASSANDRE. — Je te tiens un pari, Andromaque.

ANDROMAQUE. — Cet envoyé des Grecs a raison. On
5 va bien le recevoir. On va bien lui envelopper sa petite Hélène, et on la lui rendra.

CASSANDRE. — On va le recevoir grossièrement. On ne lui rendra pas Hélène. Et la guerre de Troie aura lieu.

ANDROMAQUE. — Oui, si Hector n'était pas là!... Mais
10 il arrive, Cassandre, il arrive! Tu entends assez ses trompettes... En cette minute, il entre dans la ville, victorieux. Je pense qu'il aura son mot à dire. Quand il est parti, voilà trois mois, il m'a juré que cette guerre était la dernière.

15 CASSANDRE. — C'était la dernière. La suivante l'attend.

ANDROMAQUE. — Cela ne te fatigue pas de ne voir et de ne prévoir que l'effroyable [1]?

CASSANDRE. — Je ne vois rien, Andromaque. Je ne prévois rien. Je tiens seulement compte de deux bêtises,
20 celle des hommes et celle des éléments [2].

ANDROMAQUE. — Pourquoi la guerre aurait-elle lieu? Pâris ne tient plus à Hélène. Hélène ne tient plus à Pâris.

CASSANDRE. — Il s'agit bien d'eux!

ANDROMAQUE. — Il s'agit de quoi?

---

1. Voir p. 31 l'index des noms : *Cassandre*. — 2. L'ordre inhumain de l'univers.

25 CASSANDRE. — Pâris ne tient plus à Hélène! Hélène ne tient plus à Pâris! Tu as vu le destin s'intéresser à des phrases négatives?

ANDROMAQUE. — Je ne sais pas ce qu'est le destin.

CASSANDRE. — Je vais te le dire. C'est simplement la 30 forme accélérée du temps. C'est épouvantable.

ANDROMAQUE. — Je ne comprends pas les abstractions.

CASSANDRE. — A ton aise. Ayons recours aux métaphores. Figure-toi un tigre. Tu la comprends, celle-là? C'est la métaphore pour jeunes filles. Un tigre qui dort.

35 ANDROMAQUE. — Laisse-le dormir.

CASSANDRE. — Je ne demande pas mieux. Mais ce sont les affirmations qui l'arrachent à son sommeil. Depuis quelque temps, Troie en est pleine.

ANDROMAQUE. — Pleine de quoi?

40 CASSANDRE. — De ces phrases qui affirment que le monde et la direction du monde appartiennent aux hommes en général, et aux Troyens ou Troyennes en particulier...

ANDROMAQUE. — Je ne te comprends pas.

45 CASSANDRE. — Hector en cette heure rentre dans Troie?

ANDROMAQUE. — Oui, Hector en cette heure revient à sa femme.

CASSANDRE. — Cette femme d'Hector va avoir un enfant?

50 ANDROMAQUE. — Oui, je vais avoir un enfant.

CASSANDRE. — Ce ne sont pas des affirmations, tout cela?

ANDROMAQUE. — Ne me fais pas peur, Cassandre.

UNE JEUNE SERVANTE, *qui passe avec du linge.* — Quel 55 beau jour, maîtresse!

CASSANDRE. — Ah! oui? Tu trouves?

LA JEUNE SERVANTE, *qui sort.* — Troie touche aujourd'hui son plus beau jour de printemps.

CASSANDRE. — Jusqu'au lavoir qui affirme!

ANDROMAQUE. — Oh! justement, Cassandre! Comment peux-tu parler de guerre en un jour pareil? Le bonheur tombe sur le monde!

CASSANDRE. — Une vraie neige.

ANDROMAQUE. — La beauté aussi. Vois ce soleil. Il s'amasse plus de nacre[1] sur les faubourgs de Troie qu'au fond des mers. De toute maison de pêcheur, de tout arbre sort le murmure des coquillages. Si jamais il y a eu une chance de voir les hommes trouver un moyen pour vivre en paix, c'est aujourd'hui... Et pour qu'ils soient modestes... Et pour qu'ils soient immortels...

CASSANDRE. — Oui, les paralytiques qu'on a traînés devant les portes se sentent immortels.

ANDROMAQUE. — Et pour qu'ils soient bons!... Vois ce cavalier de l'avant-garde se baisser sur l'étrier pour caresser un chat dans ce créneau... Nous sommes peut-être aussi au premier jour de l'entente entre l'homme et les bêtes.

CASSANDRE. — Tu parles trop. Le destin s'agite, Andromaque!

ANDROMAQUE. — Il s'agite dans les filles qui n'ont pas de mari. Je ne te crois pas.

CASSANDRE. — Tu as tort. Ah! Hector rentre dans la gloire chez sa femme adorée!... Il [2] ouvre un œil... Ah! Les hémiplégiques se croient immortels sur leurs petits bancs!... Il s'étire... Ah! Il est aujourd'hui une chance pour que la paix s'installe sur le monde!... Il se pourlèche... Et Andromaque va avoir un fils! Et les cuirassiers se baissent maintenant sur l'étrier pour caresser les matous dans les créneaux!... Il se met en marche!

ANDROMAQUE. — Tais-toi!

CASSANDRE. — Et il monte sans bruit les escaliers du palais. Il pousse du mufle les portes... Le voilà... Le voilà...

LA VOIX D'HECTOR. — Andromaque!

ANDROMAQUE. — Tu mens!... C'est Hector!

CASSANDRE. — Qui t'a dit autre chose?

Lumière solaire sur les murs blancs. — 2. Le destin que Giraudoux nous montre aguets, comme un tigre.

SCÈNE DEUXIÈME

ANDROMAQUE, CASSANDRE, HECTOR

ANDROMAQUE. — Hector!

HECTOR. — Andromaque!... *(Ils s'étreignent.)* A toi aussi bonjour, Cassandre! Appelle-moi Pâris, veux-tu.

- **Une exposition en action** (scènes 1 et 2)

① Étudiez la mise en situation, notamment :
— l'éveil de la sympathie envers Andromaque et la générosité de sa position (idéal d'harmonie et de bonheur humain);
— le caractère prophétique de la thèse soutenue par la devineresse Cassandre sur la sottise humaine et l'ordre inhumain du monde;
— l'exposition, non en récit, mais dans un dialogue naturel et à travers un débat.

② Appréciez la mise en forme :
— le dialogue-débat (deux attitudes égales en dignité et également présentes chez l'auteur, l'une son idéal, l'autre sa lucidité);
— le dialogue comme moteur essentiel de toute la pièce, vu le peu d'action et de mouvement scénique (débats engagés qui dramatisent par effet de sympathie ou d'antipathie le plus souvent);
— la fantaisie, avec la familiarité comique (des souvenirs de chansons : « Il chante pour les filles qui n'ont pas de mari » ou de jeux également enfantins, tel le « Loup y es-tu? » du tigre-destin); les jeux de mots, l'esprit et l'ironie; la transposition anachronique de 1914-18 et d'après;
— l'art de la tirade (brève et poétique) et de la formule (chez Cassandre) ainsi que de leur répartition selon les personnages.

③ Expliquez la conception du Destin qui s'esquisse dans :
— la formule (l. 29-30) *la forme accélérée du temps* (c'est-à-dire l'impression que la durée s'accélère quand la trame des causalités devient évidente avec son caractère inexorable et non plus dilué);
— l'image filée du tigre (l. 33 et suiv.), synthétique et évolutive (préparant verbalement celle, plus scénique, d'*Électre* avec ses Euménides, fillettes au début et jeunes filles à la fin);
— les concepts personnels à l'auteur, manifestés par un vocabulaire particularisé (emploi absolu du verbe *affirmer* (l. 59); cf. dans *Électre :* se déclarer);
— les transitions, dramatique et prophétique à la fin de la scène 1 (Hector, en tuant Demokos, sera cause de la guerre), apparemment comique à la fin de la scène 2 (cf. aussi I, 10).

Le plus vite possible. *(Cassandre s'attarde.)* Tu as quel-
5 que chose à me dire?

ANDROMAQUE. — Ne l'écoute pas!... Quelque catastrophe!

HECTOR. — Parle!

CASSANDRE. — Ta femme porte un enfant.

SCÈNE TROISIÈME

ANDROMAQUE, HECTOR

Il l'a prise dans ses bras, l'a amenée au banc de pierre, s'est assis près d'elle. Court silence.

HECTOR. — Ce sera un fils, une fille?

ANDROMAQUE. — Qu'as-tu voulu créer en l'appelant?

HECTOR. — Mille garçons... Mille filles...

ANDROMAQUE. — Pourquoi? Tu croyais étreindre mille
5 femmes?... Tu vas être déçu. Ce sera un fils, un seul fils.

HECTOR. — Il y a toutes les chances pour qu'il en soit un... Après les guerres, il naît plus de garçons que de filles.

ANDROMAQUE. — Et avant les guerres?

10 HECTOR. — Laissons les guerres, et laissons la guerre... Elle vient de finir. Elle t'a pris un père, un frère, mais ramené un mari.

ANDROMAQUE. — Elle est trop bonne. Elle se rattrapera.

HECTOR. — Calme-toi. Nous ne lui laisserons plus
15 l'occasion. Tout à l'heure, en te quittant, je vais solennellement, sur la place, fermer les portes de la guerre. Elles ne s'ouvriront plus.

ANDROMAQUE. — Ferme-les. Mais elles s'ouvriront.

HECTOR. — Tu peux même nous dire le jour!

20 ANDROMAQUE. — Le jour où les blés seront dorés et pesants, la vigne surchargée, les demeures pleines de couples.

HECTOR. — Et la paix à son comble, sans doute?

ANDROMAQUE. — Oui. Et mon fils robuste et éclatant.

Hector l'embrasse.

25 HECTOR. — Ton fils peut être lâche. C'est une sauvegarde.

ANDROMAQUE. — Il ne sera pas lâche. Mais je lui aurai coupé l'index de la main droite [1].

HECTOR. — Si toutes les mères coupent l'index droit de 30 leur fils, les armées de l'univers se feront la guerre sans l'index... Et si elles lui coupent la jambe droite, les armées seront unijambistes... Et si elles lui crèvent les yeux, les armées seront aveugles, mais il y aura des armées, et dans la mêlée elles se chercheront le défaut de l'aine, 35 ou la gorge, à tâtons...

ANDROMAQUE. — Je le tuerai plutôt.

HECTOR. — Voilà la vraie solution maternelle des guerres.

ANDROMAQUE. — Ne ris pas. Je peux encore le tuer 40 avant sa naissance.

HECTOR. — Tu ne veux pas le voir une minute, juste une minute? Après, tu réfléchiras... Voir ton fils?

ANDROMAQUE. — Le tien seul m'intéresse. C'est parce qu'il est de toi, c'est parce qu'il est toi que j'ai peur. Tu 45 ne peux t'imaginer combien il te ressemble. Dans ce néant où il est encore, il a déjà apporté tout ce que tu as mis dans notre vie courante. Il y a tes tendresses, tes silences. Si tu aimes la guerre, il l'aimera... Aimes-tu la guerre?

50 HECTOR. — Pourquoi cette question?

ANDROMAQUE. — Avoue que certains jours tu l'aimes.

HECTOR. — Si l'on aime ce qui vous délivre de l'espoir, du bonheur, des êtres les plus chers...

ANDROMAQUE. — Tu ne crois pas si bien dire... On 55 l'aime.

---

1. Allusion anachronique aux mutilations volontaires en 1914-18 : voir p. 26.

HECTOR. — Si l'on se laisse séduire par cette petite délégation que les dieux vous donnent à l'instant du combat...

ANDROMAQUE. — Ah? Tu te sens un dieu, à l'instant du combat?

HECTOR. — Très souvent moins qu'un homme... Mais parfois, à certains matins, on se relève du sol allégé, étonné, mué. Le corps, les armes ont un autre poids, sont d'un autre alliage. On est invulnérable. Une tendresse vous envahit, vous submerge, la variété de tendresse des batailles : on est tendre parce qu'on est impitoyable; ce doit être en effet la tendresse des dieux. On avance vers l'ennemi lentement, presque distraitement, mais tendrement. Et l'on évite d'écraser le scarabée. Et l'on chasse le moustique sans l'abattre. Jamais l'homme n'a plus respecté la vie sur son passage...

ANDROMAQUE. — Puis l'adversaire arrive?...

HECTOR. — Puis l'adversaire arrive, écumant, terrible. On a pitié de lui, on voit en lui, derrière sa bave et ses yeux blancs, toute l'impuissance et tout le dévouement du pauvre fonctionnaire humain qu'il est, du pauvre mari et gendre, du pauvre cousin germain, du pauvre amateur de raki [1] et d'olives qu'il est. On a de l'amour pour lui. On aime sa verrue sur sa joue, sa taie dans son œil. On l'aime... Mais il insiste... Alors on le tue.

ANDROMAQUE. — Et l'on se penche en dieu sur ce pauvre corps; mais on n'est pas dieu, on ne rend pas la vie.

HECTOR. — On ne se penche pas. D'autres vous attendent. D'autres avec leur écume et leurs regards de haine. D'autres pleins de famille, d'olives, de paix.

ANDROMAQUE. — Alors on les tue?

HECTOR. — On les tue. C'est la guerre.

ANDROMAQUE. — Tous, on les tue?

HECTOR. — Cette fois nous les avons tués tous. A dessein. Parce que leur peuple était vraiment la race de la guerre [2], parce que c'est par lui que la guerre subsistait et se propageait en Asie. Un seul a échappé.

Liqueur orientale (mot turc : XIXe s.). — 2. Voir p. 26 les anachronismes.

ANDROMAQUE. — Dans mille ans, tous les hommes seront les fils de celui-là. Sauvetage inutile d'ailleurs... Mon fils aimera la guerre, car tu l'aimes.

HECTOR. — Je crois plutôt que je la hais... Puisque je ne l'aime plus.

ANDROMAQUE. — Comment arrive-t-on à ne plus aimer ce que l'on adorait? Raconte. Cela m'intéresse.

HECTOR. — Tu sais, quand on a découvert qu'un ami est menteur? De lui tout sonne faux, alors, même ses vérités... Cela semble étrange à dire, mais la guerre m'avait promis la bonté, la générosité, le mépris des bassesses. Je croyais lui devoir mon ardeur et mon goût à vivre, et toi-même... Et jusqu'à cette dernière campagne, pas un ennemi que je n'aie aimé...

ANDROMAQUE. — Tu viens de le dire : on ne tue bien que ce qu'on aime.

HECTOR. — Et tu ne peux savoir comme la gamme de la guerre était accordée pour me faire croire à sa noblesse. Le galop nocturne des chevaux, le bruit de vaisselle à la fois et de soie que fait le régiment d'hoplites [1] se frottant contre votre tente, le cri du faucon au-dessus de la compagnie étendue et aux aguets, tout avait sonné jusque-là si juste, si merveilleusement juste...

ANDROMAQUE. — Et la guerre a sonné faux, cette fois?

HECTOR. — Pour quelle raison? Est-ce l'âge? Est-ce simplement cette fatigue du métier dont parfois l'ébéniste sur son pied de table se trouve tout à coup saisi, qui un matin m'a accablé, au moment où penché sur un adversaire de mon âge, j'allais l'achever? Auparavant ceux que j'allais tuer me semblaient le contraire de moi-même. Cette fois j'étais agenouillé sur un miroir. Cette mort que j'allais donner, c'était un petit suicide. Je ne sais ce que fait l'ébéniste dans ce cas, s'il jette sa varlope, son vernis, ou s'il continue... J'ai continué. Mais de cette minute, rien n'est demeuré de la résonance parfaite. La lance qui a glissé contre mon bouclier a soudain sonné faux, et le choc du tué contre la terre, et, quelques heures

1. Soldats de la Grèce antique lourdement armés (cuirasse, etc.).

130 plus tard, l'écroulement des palais. Et la guerre d'ailleurs a vu que j'avais compris. Et elle ne se gênait plus... Les cris des mourants sonnaient faux... J'en suis là.

ANDROMAQUE. — Tout sonnait juste pour les autres.

HECTOR. — Les autres sont comme moi. L'armée que 135 j'ai ramenée hait la guerre.

ANDROMAQUE. — C'est une armée à mauvaises oreilles.

HECTOR. — Non. Tu ne saurais t'imaginer combien soudain tout a sonné juste pour elle, voilà une heure, à la vue de Troie. Pas un régiment qui ne se soit arrêté 140 d'angoisse à ce concert [1]. Au point que nous n'avons

1. De peur de troubler l'atmosphère de paix ainsi retrouvée; d'où le renoncement au défilé massif trop martial et la pénétration en ordre dispersé adoptée par la suite.

• **Le couple et la guerre** (scène 3)

① Précisez le débat :
— dans ses positions, en expliquant le revirement d'Andromaque, qui adopte maintenant le pessimisme de Cassandre (angoisse? désir de le voir dépassé par la fermeté d'Hector?), et en voyant Hector non pas optimiste (le goût de la guerre est naturel à l'homme), mais déterminé à gagner la paix;
— dans sa dialectique rigoureuse, surtout à la fin (objections d'Andromaque).

② Définissez la psychologie du guerrier :
— complexe (pas d'antibellicisme simpliste, mais lucidité loyale, assumant l'attirance naturelle de la guerre avant de la dépasser; débat interne à Hector, mais aussi à l'auteur);
— mais orientée (le désabusement fait dépasser et annule l'attirance);
— et allusive (anachronismes de 1914-18) ou satirique.

③ Analysez la psychologie du couple :
— chez Hector, la tendresse virile (loyauté, transparence, générosité protectrice);
— chez Andromaque, l'effacement de la fille et de la sœur en deuil derrière l'épouse (anxieuse pour son futur fils, taquine envers son mari).

④ Dégagez l'agrément de la scène dans :
— sa gaieté, avec l'ironie nuancée (de l'humour noir à la taquinerie), les concessions à « l'esprit », les anachronismes d'actualisation, les détails;
— sa force, avec la rhétorique vigoureuse (rythme ternaire, formules, etc.), et le paradoxe des idées;
— sa finesse (dans l'aveu involontaire indirect d'Hector, l. 52);
— sa poésie (dans le tableau proche du Chateaubriand des *Martyrs* aux lignes 111-114).

osé entrer durement par les portes, nous nous sommes répandus en groupe autour des murs... C'est la seule tâche digne d'une vraie armée : faire le siège paisible de sa patrie ouverte.

145 ANDROMAQUE. — Et tu n'as pas compris que c'était là la pire fausseté! La guerre est dans Troie, Hector! C'est elle qui vous a reçus aux portes. C'est elle qui me donne à toi ainsi désemparée, et non l'amour.

HECTOR. — Que racontes-tu là?

150 ANDROMAQUE. — Ne sais-tu donc pas que Pâris a enlevé Hélène?

HECTOR. — On vient de me le dire... Et après?

ANDROMAQUE. — Et que les Grecs la réclament? Et que leur envoyé arrive aujourd'hui? Et que si on ne la 155 rend pas, c'est la guerre?

HECTOR. — Pourquoi ne la rendrait-on pas? Je la rendrai moi-même.

ANDROMAQUE. — Pâris n'y consentira jamais.

HECTOR. — Pâris m'aura cédé dans quelques minutes. 160 Cassandre me l'amène.

ANDROMAQUE. — Il ne peut te céder. Sa gloire, comme vous dites, l'oblige à ne pas céder. Son amour aussi, comme il dit, peut-être.

HECTOR. — C'est ce que nous allons voir. Cours 165 demander à Priam s'il peut m'entendre à l'instant, et rassure-toi. Tous ceux des Troyens qui ont fait et peuvent faire la guerre ne veulent pas la guerre.

ANDROMAQUE. — Il reste tous les autres.

CASSANDRE. — Voilà Pâris.

Andromaque disparaît.

SCÈNE QUATRIÈME

CASSANDRE, HECTOR, PÂRIS

HECTOR. — Félicitations, Pâris. Tu as bien occupé notre absence.

PÂRIS. — Pas mal. Merci.

HECTOR. — Alors? Quelle est cette histoire d'Hélène?

5 PÂRIS. — Hélène est une très gentille personne. N'est-ce pas, Cassandre?

CASSANDRE. — Assez gentille.

[*S'ensuit un débat avec Cassandre où Pâris récuse la sensualité trop insistante des Orientales et préfère Hélène distante.*]

HECTOR. — Comment l'as-tu enlevée? Consentement ou contrainte?

10 PÂRIS. — Voyons, Hector! Tu connais les femmes aussi bien que moi. Elles ne consentent qu'à la contrainte. Mais alors avec enthousiasme.

HECTOR. — A cheval? Et laissant sous ses fenêtres cet amas de crottin qui est la trace des séducteurs?

15 PÂRIS. — C'est une enquête?

HECTOR. — C'est une enquête. Tâche pour une fois de répondre avec précision. Tu n'as pas insulté la maison conjugale, ni la terre grecque?

PÂRIS. — L'eau grecque, un peu. Elle se baignait...

20 CASSANDRE. — Elle est née de l'écume, quoi! La froideur est née de l'écume, comme Vénus.

HECTOR. — Tu n'as pas couvert la plinthe du palais d'inscriptions ou de dessins offensants, comme tu en es coutumier? Tu n'as pas lâché le premier sur les échos

25 ce mot [1] qu'ils doivent tous redire en ce moment au mari trompé.

PÂRIS. — Non, Ménélas était nu sur le rivage, occupé à se débarrasser l'orteil d'un crabe. Il a regardé filer mon canot comme si le vent emportait ses vêtements.

HECTOR. — L'air furieux?

PÂRIS. — Le visage d'un roi que pince un crabe n'a jamais exprimé la béatitude.

HECTOR. — Pas d'autres spectateurs?

PÂRIS. — Mes gabiers [2].

HECTOR. — Parfait!

PÂRIS. — Pourquoi « parfait »? Où veux-tu en venir?

---

1. On le devine. — 2. Matelots chargés des voiles et du gréement (XVIe-XIXe s.); leur rôle de témoin sera capital en II, 12 (voir p. 99 et suiv.).

HECTOR. — Je dis « parfait », parce que tu n'as rien commis d'irrémédiable. En somme, puisqu'elle était déshabillée, pas un seul des vêtements d'Hélène, pas
40 un de ses objets n'a été insulté. Le corps seul a été souillé. C'est négligeable. Je connais assez les Grecs pour savoir qu'ils tireront une aventure divine, et tout à leur honneur, de cette petite reine grecque qui va à la mer, et qui remonte tranquillement après quelques mois de sa plongée, le
45 visage innocent.

CASSANDRE. — Nous garantissons le visage.

PÂRIS. — Tu penses que je vais ramener Hélène à Mélénas?

[*Malgré son goût donjuanesque pour les ruptures, Pâris refuse de laisser partir Hélène, dont il ne se rassasie point.*]

HECTOR. — J'en suis désolé. Mais tu la rendras.

50 PÂRIS. — Tu n'es pas le maître ici.

HECTOR. — Je suis ton aîné, et le futur maître.

PÂRIS. — Alors commande dans le futur. Pour le présent, j'obéis à notre père.

HECTOR. — Je n'en demande pas davantage! Tu es
55 d'accord pour que nous nous en remettions au jugement de Priam?

PÂRIS. — Parfaitement d'accord.

HECTOR. — Tu le jures? Nous le jurons?

CASSANDRE. — Méfie-toi, Hector! Priam est fou
60 d'Hélène. Il livrerait plutôt ses filles.

HECTOR. — Que racontes-tu là?

PÂRIS. — Pour une fois qu'elle dit le présent au lieu de l'avenir, c'est la vérité.

CASSANDRE. — Et tous nos frères, et tous nos oncles,
65 et tous nos arrière-grands-oncles!... Hélène a une garde d'honneur, qui assemble tous nos vieillards. Regarde. C'est l'heure de sa promenade... Vois aux créneaux toutes ces têtes à barbe blanche... On dirait les cigognes caquetant sur les remparts.

70 HECTOR. — Beau spectacle. Les barbes sont blanches et les visages rouges.

CASSANDRE. — Oui. C'est la congestion. Ils devraient être à la porte du Scamandre, par où entrent nos troupes et la victoire. Non, ils sont aux portes Scées, par où sort 75 Hélène.

HECTOR. — Les voilà qui se penchent tout d'un coup, comme les cigognes quand passe un rat.

CASSANDRE. — C'est Hélène qui passe...

PÂRIS. — Ah oui?

80 CASSANDRE. — Elle est sur la seconde terrasse. Elle rajuste sa sandale, debout, prenant bien soin de croiser haut la jambe.

HECTOR. — Incroyable. Tous les vieillards de Troie sont là à la regarder d'en haut.

85 CASSANDRE. — Non. Les plus malins regardent d'en bas [1].

CRIS AU-DEHORS. — Vive la Beauté!

HECTOR. — Que crient-ils?

PÂRIS. — Ils crient : « Vive la Beauté! »

90 CASSANDRE. — Je suis de leur avis. Qu'ils meurent vite [2].

CRIS AU-DEHORS. — Vive Vénus!

HECTOR. — Et maintenant?

---

1. Voir le célèbre tableau consacré à *Suzanne et les vieillards* par Tintoret (vieillards à gauche). — 2. ...puisqu'ils sont laids.

- **Une plaisante enquête** (scène 4)

① Dégagez la psychologie d'un irresponsable, Pâris : à la fois le cadet embusqué et le jouisseur immoraliste, léger et indolent d'après 1914-18.

② Notez les préparations : première approche d'Hélène avant les scènes 7-10; expliquez *assez gentille*, l. 7; mention des *gabiers* de II, 12 à la ligne 34 (voir p. 99, l. 140 et suiv.).

③ Relevez les traits rhétoriques (antithèses, rythmes ternaires, formules) et appréciez la finesse du vocabulaire et des images.

④ Analysez le comique; spirituel (chez Cassandre surtout), réducteur (aspects matériels, l. 14, 23, 28), allusif (l. 25), paradoxal, cynique, ironique, satirique, caricatural, cru, verbal, humoristique, fantaisiste (mythologie, philologie).

CASSANDRE. — Vive Vénus... Ils ne crient que des
95 phrases sans *r*, à cause de leur manque de dents... Vive la Beauté... Vive Vénus... Vive Hélène... Ils croient proférer des cris. Ils poussent simplement le mâchonnement à sa plus haute puissance.

HECTOR. — Que vient faire Vénus là-dedans?

100 CASSANDRE. — Ils ont imaginé que c'était Vénus qui nous donnait Hélène... Pour récompenser Pâris de lui avoir décerné la pomme à première vue.

HECTOR. — Tu as fait aussi un beau coup ce jour-là!

PÂRIS. — Ce que tu es frère aîné!

[*La scène 5 montre l'irruption de vieillards essoufflés qui ont grimpé acclamer Hélène, puis redescendent vite contempler ses charmes.*]

SCÈNE SIXIÈME

[*La scène 6 s'ouvre, après les mots d'Hector,* « Je me moque d'Hélène », *sur sa discussion avec son père Priam qui, arrivé avec son escorte, est navré de cette désinvolture à l'égard de la Beauté faite femme.* — Personnages : HÉCUBE, ANDROMAQUE, CASSANDRE, HECTOR, PÂRIS, DEMOKOS, la petite POLYXÈNE].

HECTOR. — C'est très courant, la beauté, père. Je ne fais pas allusion à Hélène, mais elle court les rues.

PRIAM. — Hector, ne sois pas de mauvaise foi. Il t'est bien arrivé dans la vie, à l'aspect d'une femme, de
5 ressentir qu'elle n'était pas seulement elle-même, mais que tout un flux d'idées et de sentiments avait coulé en sa chair et en prenait l'éclat?

DEMOKOS. — Ainsi le rubis personnifie le sang.

HECTOR. — Pas pour ceux qui ont vu du sang. Je sors
10 d'en prendre.

DEMOKOS. — Un symbole, quoi! Tout guerrier que tu es, tu as bien entendu parler des symboles! Tu as bien rencontré des femmes qui, d'aussi loin que tu les apercevais, te semblaient personnifier l'intelligence, l'harmonie, la douceur?

HECTOR. — J'en ai vu.

DEMOKOS. — Que faisais-tu alors?

HECTOR. — Je m'approchais et c'était fini... Que personnifie celle-là?

DEMOKOS. — On te le répète, la beauté.

HÉCUBE. — Alors, rendez-la vite aux Grecs, si vous voulez qu'elle vous la personnifie pour longtemps. C'est une blonde.

DEMOKOS. — Impossible de parler avec ces femmes!

HÉCUBE. — Alors ne parlez pas des femmes! Vous n'êtes guère galants, en tout cas, ni patriotes. Chaque peuple remise son symbole dans sa femme, qu'elle soit camuse ou lippue [1]. Il n'y a que vous pour aller le loger ailleurs.

HECTOR. — Père, mes camarades et moi rentrons harassés. Nous avons pacifié notre continent pour toujours. Nous entendons désormais vivre heureux, nous entendons que nos femmes puissent nous aimer sans angoisse et avoir leurs enfants.

DEMOKOS. — Sages principes, mais jamais la guerre n'a empêché d'accoucher.

HECTOR. — Dis-moi pourquoi nous trouvons la ville transformée, du seul fait d'Hélène! Dis-moi ce qu'elle nous a apporté, qui vaille une brouille avec les Grecs!

LE GÉOMÈTRE. — Tout le monde te le dira! Moi je peux te le dire!

HÉCUBE. — Voilà le Géomètre [2]!

LE GÉOMÈTRE. — Oui, voilà le Géomètre! Et ne crois pas que les géomètres n'aient pas à s'occuper des femmes! Ils sont les arpenteurs aussi de votre apparence. Je ne te dirai pas ce qu'ils souffrent, les géomètres, d'une épaisseur de peau en trop à vos cuisses ou d'un bour-

---

. Avec un nez court et plat ou avec de grosses lèvres (caractères des races non-blanches). Troyens, eux, symbolisent la Beauté en Hélène, une Grecque blonde au nez droit.

2. Arpenteur (voir la ligne 45) qui fait le levé des plans.

relet à votre cou... Eh bien, les géomètres jusqu'à ce jour n'étaient pas satisfaits de cette contrée qui entoure Troie.
50 La ligne d'attache de la plaine aux collines leur semblait molle, la ligne des collines aux montagnes du fil de fer. Or, depuis qu'Hélène est ici, le paysage a pris son sens et sa fermeté. Et, chose particulièrement sensible aux vrais géomètres, il n'y a plus à l'espace et au volume
55 qu'une commune mesure qui est Hélène. C'est la mort de tous ces instruments inventés par les hommes pour rapetisser l'univers. Il n'y a plus de mètres, de grammes, de lieues [1]. Il n'y a plus que le pas [2] d'Hélène, la coudée [3] d'Hélène, la portée du regard ou de la voix d'Hélène,
60 et l'air de son passage est la mesure des vents. Elle est notre baromètre, notre anémomètre! Voilà ce qu'ils te disent, les géomètres.

HÉCUBE. — Il pleure, l'idiot.

PRIAM. — Mon cher fils, regarde seulement cette foule,
65 et tu comprendras ce qu'est Hélène. Elle est une espèce d'absolution. Elle prouve à tous ces vieillards que tu vois là au guet et qui ont mis des cheveux blancs au fronton de la ville, à celui-là qui a volé, à celui-là qui trafiquait des femmes, à celui-là qui manqua sa vie,
70 qu'ils avaient au fond d'eux-mêmes une revendication secrète, qui était la beauté. Si la beauté avait été près d'eux, aussi près qu'Hélène l'est aujourd'hui, ils n'auraient pas dévalisé leurs amis, ni vendu leurs filles, ni bu leur héritage. Hélène est leur pardon, et leur
75 revanche et leur avenir.

HECTOR. — L'avenir des vieillards me laisse indifférent.

DEMOKOS. — Hector, je suis poète et juge en poète. Suppose que notre vocabulaire ne soit pas quelquefois touché par la beauté! Suppose que le mot délice n'existe
80 pas!

HECTOR. — Nous nous en passerions. Je m'en passe déjà. Je ne prononce le mot délice qu'absolument forcé.

DEMOKOS. — Oui, et tu te passerais du mot volupté, sans doute?

---

1. *Lieue* : 4 km (Ancien Régime). — 2. Environ 75 cm chez les Grecs anciens. 3. Environ 45 cm chez ces mêmes Grecs.

85 HECTOR. — Si c'était au prix de la guerre qu'il fallût acheter le mot volupté, je m'en passerais.

DEMOKOS. — C'est au prix de la guerre que tu as trouvé le plus beau, le mot courage.

HECTOR. — C'était bien payé.

90 HÉCUBE. — Le mot lâcheté a dû être trouvé par la même occasion.

PRIAM. — Mon fils, pourquoi te forces-tu à ne pas nous comprendre?

HECTOR. — Je vous comprends fort bien. A l'aide
95 d'un quiproquo, en prétendant nous faire battre pour la beauté, vous voulez nous faire battre pour une femme.

PRIAM. — Et tu ne ferais la guerre pour aucune femme?

HECTOR. — Certainement non!

HÉCUBE. — Et il aurait rudement raison.

0 CASSANDRE. — S'il n'y en avait qu'une peut-être. Mais ce chiffre est largement dépassé.

[*Un vigoureux débat est alors mené par les femmes contre le féminisme de Demokos qui les idéalise outrancièrement; Hécube s'y distingue : « faire la guerre pour une femme, c'est la façon d'aimer des impuissants »; ainsi qu'Andromaque : « Si Hector n'était pas mon mari, je le tromperais avec lui-même »; toutes détruisent l'image de la femme-repos-du-guerrier, et la petite Polyxène y ajoute la dénonciation des défauts de la fillette : « Elle s'amuse à ne pas dormir la nuit, tout en fermant les yeux.* »]

PRIAM. — Chères filles, votre révolte même prouve que nous avons raison. Est-il une plus grande générosité que celle qui vous pousse à vous battre en ce moment pour la paix, la paix qui vous donnera des maris veules, inoccupés, fuyants, quand la guerre vous fera d'eux des hommes [1]!...

. Voir, de Leconte de Lisle, « Le Runoïa » *(Poèmes Barbares)* où le vieux roi déplore veulissement des chasseurs par rapport aux guerriers :

« O guerriers énervés qui chassez par les monts... »
...
« La hache du combat pèse à leurs mains débiles. »

DEMOKOS. — Des héros.

HÉCUBE. — Nous connaissons le vocabulaire. L'homme en temps de guerre s'appelle le héros. Il peut ne pas en être plus brave, et fuir à toutes jambes. Mais c'est du moins un héros qui détale.

ANDROMAQUE. — Mon père, je vous en supplie. Si vous avez cette amitié pour les femmes, écoutez ce que toutes les femmes du monde vous disent par ma voix. Laissez-nous nos maris comme ils sont. Pour qu'ils gardent leur agilité et leur courage, les dieux ont créé autour d'eux tant d'entraîneurs vivants ou non vivants! Quand ce ne serait que l'orage! Quand ce ne serait que les bêtes! Aussi longtemps qu'il y aura des loups, des éléphants, des onces [1], l'homme aura mieux que l'homme comme émule et comme adversaire. Tous ces grands oiseaux qui volent autour de nous, ces lièvres dont nous les femmes confondons le poil avec les bruyères, sont de plus sûrs garants de la vue perçante de nos maris que l'autre cible, que le cœur de l'ennemi emprisonné dans sa cuirasse. Chaque fois que j'ai vu tuer un cerf ou un aigle, je l'ai remercié. Je savais qu'il mourait pour Hector. Pourquoi voulez-vous que je doive Hector à la mort d'autres hommes?

PRIAM. — Je ne le veux pas, ma petite chérie. Mais savez-vous pourquoi vous êtes là, toutes si belles et si vaillantes? C'est parce que vos maris et vos pères et vos aïeux furent des guerriers. S'ils avaient été paresseux aux armes, s'ils n'avaient pas su que cette occupation terne et stupide qu'est la vie se justifie soudain et s'illumine par le mépris que les hommes ont d'elle, c'est vous qui seriez lâches et réclameriez la guerre. Il n'y a pas deux façons de se rendre immortel ici-bas, c'est d'oublier qu'on est mortel!

ANDROMAQUE. — Oh! justement, père, vous le savez bien! Ce sont les braves qui meurent à la guerre. Pour ne pas y être tué, il faut un grand hasard [2] ou une grande habi-

1. Variété de panthères d'Asie Centrale. — 2. Voir, dans les *Mémoires intérieur* Mauriac (ch. III, p. 30), cette formule du philosophe Alain sur ses élèves victi de 1914-18 : « Bouché ne fut que blessé; les autres y restèrent. Il y a de ces hasard

leté. Il faut avoir courbé la tête ou s'être agenouillé au moins une fois devant le danger. Les soldats qui défilent sous les arcs de triomphe sont ceux qui ont déserté la mort. Comment un pays pourrait-il gagner dans son honneur et dans sa force en les perdant tous les deux?

PRIAM. — Ma fille, la première lâcheté est la première ride d'un peuple.

ANDROMAQUE. — Où est la pire lâcheté? Paraître lâche vis-à-vis des autres, et assurer la paix? Ou être lâche vis-à-vis de soi-même et provoquer la guerre?

DEMOKOS. — La lâcheté est de ne pas préférer à toute mort la mort pour son pays.

HÉCUBE. — J'attendais la poésie à ce tournant. Elle n'en manque pas une.

ANDROMAQUE. — On meurt toujours pour son pays! Quand on a vécu en lui digne, actif, sage, c'est pour lui aussi qu'on meurt. Les tués ne sont pas tranquilles sous la terre, Priam. Ils ne se fondent pas en elle pour le repos et l'aménagement éternel. Ils ne deviennent pas sa glèbe, sa chair. Quand on retrouve dans le sol une ossature humaine, il y a toujours une épée près d'elle. C'est un guerrier.

HÉCUBE. — Ou alors que les vieillards soient les seuls guerriers. Tout pays est le pays de la jeunesse. Il meurt quand la jeunesse meurt.

DEMOKOS. — Vous nous ennuyez avec votre jeunesse. Elle sera la vieillesse dans trente ans.

CASSANDRE. — Erreur.

HÉCUBE. — Erreur! Quand l'homme adulte touche à ses quarante ans, on lui substitue un vieillard. Lui disparaît. Il n'y a que des rapports d'apparence entre les deux. Rien de l'un ne continue en l'autre.

DEMOKOS. — Le souci de ma gloire a continué, Hécube.

HÉCUBE. — C'est vrai. Et les rhumatismes...

Nouveaux éclats de rire des servantes.

HECTOR. — Et tu écoutes cela sans mot dire, Pâris! Et il ne te vient pas à l'esprit de sacrifier une aventure pour nous sauver d'années de discorde et de massacre?

PÂRIS. — Que veux-tu que je te dise! Mon cas est international.

HECTOR. — Aimes-tu vraiment Hélène, Pâris?

CASSANDRE. — Ils sont le symbole de l'amour. Ils n'ont même plus à s'aimer.

PÂRIS. — J'adore Hélène.

CASSANDRE, *au rempart.* — La voilà, Hélène.

HECTOR. — Si je la convaincs de s'embarquer, tu acceptes?

PÂRIS. — J'accepte, oui.

HECTOR. — Père, si Hélène consent à repartir pour la Grèce, vous la retiendrez de force?

PRIAM. — Pourquoi mettre en question l'impossible?

HÉCUBE. — Et pourquoi l'impossible? Si les femmes sont le quart de ce que vous prétendez, Hélène partira d'elle-même.

PÂRIS. — Père, c'est moi qui vous en prie. Vous les voyez et entendez. Cette tribu royale, dès qu'il est question d'Hélène, devient aussitôt un assemblage de belle-mère, de belles-sœurs, et de beau-père digne de la meilleure bourgeoisie. Je ne connais pas d'emploi plus humiliant dans une famille nombreuse que le rôle du fils séducteur. J'en ai assez de leurs insinuations. J'accepte le défi d'Hector.

DEMOKOS. — Hélène n'est pas à toi seul, Pâris. Elle est à la ville. Elle est au pays.

LE GÉOMÈTRE. — Elle est au paysage.

HÉCUBE. — Tais-toi, géomètre.

CASSANDRE. — La voilà, Hélène...

HECTOR. — Père, je vous le demande. Laissez-moi ce recours. Écoutez... On nous appelle pour la cérémonie. Laissez-moi et je vous rejoins.

PRIAM. — Vraiment, tu acceptes, Pâris?

PÂRIS. — Je vous en conjure.

PRIAM. — Soit. Venez, mes enfants. Allons prépare les portes de la guerre.

CASSANDRE. — Pauvres portes. Il faut plus d'huil pour les fermer que pour les ouvrir.

Priam et sa suite s'éloignent.
resté.

HECTOR. — Qu'attends-tu là?

220 DEMOKOS. — Mes transes.

HECTOR. — Tu dis?

DEMOKOS. — Chaque fois qu'Hélène apparaît, l'inspiration me saisit. Je délire, j'écume et j'improvise. Ciel, la voilà!

- **L'affrontement des thèses** (scène 6)

① Distinguez les divers types d'idéalisme et leurs démystifications :
— l'idéalisation de la beauté (et sa réduction du divin à l'humain);
— la symbolisation de la femme (dissipée par l'objectivité attentive);
— le lien entre féminisme et nationalisme chez les hommes (et l'inconséquence avec laquelle ils idéalisent des étrangères; cf. Barrès et l'Astiné des *Déracinés* ou Anna de Noailles, née princesse Brancovan, ou Marie Bashkirtseff);
— l'idéalisation, esthétique par le Géomètre et éthique par Priam, de la femme (dandysme très giralducien en soi, mais ici inacceptable; précisez);
— l'idéalisation de la guerre comme génératrice de courage (mais par jugement unilatéral et exclusif, car elle engendre aussi de la lâcheté, et d'autres activités toutes civiles engendrent courage viril et héroïsme ou patriotisme civiques);
— l'idéalisation de la jeunesse combattante (mais méconnaissant le drame démographique des pays saignés à blanc et vieillis);
— l'idéalisation du couple symbolique (mais pure apparence inauthentique et « aliénée » au bénéfice de la mythologie collective : cf. l. 205-206);
— l'idéalisation de la poésie comme inspiration divine (mais assimilée à la guerre, illusion épique dont elle se fait la propagandiste par l'illusion lyrique).

② Appréciez l'agrément du passage :
— comique, avec le jeu fantaisiste (traits familiers ou anachroniques), la parodie (vers de mirliton), l'ironie spirituelle (faisant de l'objection logique une « mise en boîte »), le jeu verbal (*baromètre* et *anémomètre* — l. 61 — rajoutés lors des représentations pour rimer avec *géomètre*), la spontanéité du dialogue piquant (au lieu de dissertations en forme);
— rhétorique, avec les formules à l'emporte-pièce et l'art des tirades;
— dramatique, avec la répartition des thèses sur une pluralité de personnages (notamment des femmes pour démystifier un féminisme masculin purement décoratif et illusoire).

Il déclame.

Belle Hélène, Hélène de Sparte,
A gorge douce, à noble chef [1],
Les dieux nous gardent que tu partes,
Vers ton Ménélas derechef!

HECTOR. — Tu as fini de terminer tes vers avec ces
230 coups de marteau [2] qui nous enfoncent le crâne?

DEMOKOS. — C'est une invention à moi. J'obtiens des effets bien plus surprenants encore. Écoute :

Viens sans peur au-devant d'Hector,
La gloire et l'effroi du Scamandre!
235 Tu as raison et lui a tort...
Car il est dur et tu es tendre...

HECTOR. — File!

DEMOKOS. — Qu'as-tu à me regarder ainsi? Tu as l'air de détester autant la poésie que la guerre.

240 HECTOR. — Va! Ce sont les deux sœurs!

Le poète disparaît.

CASSANDRE, *annonçant*. — Hélène!

SCÈNE SEPTIÈME

HÉLÈNE, PÂRIS, HECTOR

PÂRIS. — Hélène chérie, voici Hector. Il a des projets sur toi, des projets tout simples. Il veut te rendre aux Grecs et te prouver que tu ne m'aimes pas... Dis-moi que tu m'aimes, avant que je te laisse avec lui... Dis-le-
5 moi comme tu le penses.

HÉLÈNE. — Je t'adore, chéri.

PÂRIS. — Dis-moi qu'elle était belle, la vague qui t'emporta de Grèce!

HÉLÈNE. — Magnifique! Une vague magnifique!... (
10 as-tu vu une vague? La mer était si calme...

PÂRIS. — Dis-moi que tu hais Ménélas...

HÉLÈNE. — Ménélas? Je le hais.

1. Sens étymologique : tête. — 2. Ici, les rimes (apparues au Moyen Age) : p. 72, ligne 69.

PÂRIS. — Tu n'as pas fini... Je ne retournerai jamais en Grèce. Répète.

15 HÉLÈNE. — Tu ne retourneras jamais en Grèce.

PÂRIS. — Non, c'est de toi qu'il s'agit.

HÉLÈNE. — Bien sûr! Que je suis sotte!... Jamais je ne retournerai en Grèce.

PÂRIS. — Je ne le lui fais pas dire... A toi maintenant.

Il s'en va.

SCÈNE HUITIÈME

HÉLÈNE, HECTOR

HECTOR. — C'est beau, la Grèce?

HÉLÈNE. — Pâris l'a trouvée belle.

HECTOR. — Je vous demande si c'est beau la Grèce sans Hélène?

HÉLÈNE. — Merci pour Hélène.

HECTOR. — Enfin, comment est-ce, depuis qu'on en parle?

HÉLÈNE. — C'est beaucoup de rois et de chèvres éparpillés sur du marbre.

HECTOR. — Si les rois sont dorés et les chèvres angora [1], cela ne doit pas être mal au soleil levant.

HÉLÈNE. — Je me lève tard.

HECTOR. — Des dieux aussi, en quantité? Pâris dit que le ciel en grouille, que des jambes de déesses en pendent.

HÉLÈNE. — Pâris va toujours le nez levé. Il peut les avoir vues.

HECTOR. — Vous, non?

HÉLÈNE. — Je ne suis pas douée. Je n'ai jamais pu voir un poisson dans la mer. Je regarderai mieux quand j'y retournerai.

HECTOR. — Vous venez de dire à Pâris que vous n'y retourneriez jamais.

Au poil long et soyeux.

HÉLÈNE. — Il m'a priée de le dire. J'adore obéir à Pâris.

HECTOR. — Je vois. C'est comme pour Ménélas. Vous
25 ne le haïssez pas?

HÉLÈNE. — Pourquoi le haïrais-je?

HECTOR. — Pour la seule raison qui fasse vraiment haïr. Vous l'avez trop vu.

HÉLÈNE. — Ménélas? Oh! non! Je n'ai jamais bien vu
30 Ménélas, ce qui s'appelle vu[1]. Au contraire.

HECTOR. — Votre mari?

HÉLÈNE. — Entre les objets et les êtres, certains sont colorés pour moi. Ceux-là je les vois. Je crois en eux. Je n'ai jamais bien pu voir Ménélas.

35 HECTOR. — Il a dû pourtant s'approcher très près.

HÉLÈNE. — J'ai pu le toucher. Je ne peux pas dire que je l'ai vu.

HECTOR. — On dit qu'il ne vous quittait pas.

HÉLÈNE. — Évidemment. J'ai dû le traverser bien des
40 fois sans m'en douter.

HECTOR. — Tandis que vous avez vu Pâris?

HÉLÈNE. — Sur le ciel, sur le sol, comme une découpure.

HECTOR. — Il s'y découpe encore. Regardez-le, là-bas, adossé au rempart.

45 HÉLÈNE. — Vous êtes sûr que c'est Pâris, là-bas?

HECTOR. — C'est lui qui vous attend.

HÉLÈNE. — Tiens! Il est beaucoup moins net!

HECTOR. — Le mur est cependant passé à la chaux fraîche. Tenez, le voilà de profil!

50 HÉLÈNE. — C'est curieux comme ceux qui vous attendent se découpent moins bien que ceux que l'on attend[2]

HECTOR. — Vous êtes sûre qu'il vous aime, Pâris?

HÉLÈNE. — Je n'aime pas beaucoup connaître les senti-ments des autres. Rien ne gêne comme cela. C'est comm
55 au jeu quand on voit dans le jeu de l'adversaire. On es sûr de perdre.

---

1. Cf. Orgon dans le *Tartuffe* de Molière (acte V, sc. 3) : « Je l'ai vu, dis-je, vu, propres yeux vu, — Ce qu'on appelle vu. » — 2. Voir Ovide, *l'Art d'aimer*, po idée analogue.

HECTOR. — Et vous, vous l'aimez?

HÉLÈNE. — Je n'aime pas beaucoup connaître non plus mes propres sentiments.

[*Ici se précise la « distance » d'Hélène : « Je connais surtout le plaisir des autres... Il m'éloigne des deux » et « Je laisse l'univers penser à ma place »; elle avoue aimer les hommes plus que tel homme. A la* **scène 9,** *Hector en conclut un peu vite devant Cassandre qu'Hélène peut accepter sa propre restitution.*]

HÉLÈNE. — Vous ne me comprenez pas du tout, Hector. Je n'hésite pas à choisir. Ce serait trop facile de dire « Je fais ceci », ou « Je fais cela » pour que ceci ou cela se fît. Vous avez découvert que je suis faible. Vous en êtes
5 tout joyeux. L'homme qui découvre la faiblesse d'une femme, c'est le chasseur à midi qui découvre une source. Il s'en abreuve. Mais n'allez pourtant pas croire, parce que vous avez convaincu la plus faible des femmes, que vous avez convaincu l'avenir. Ce n'est pas en manœu-
10 vrant des enfants qu'on détermine le destin...

HECTOR. — Les subtilités et les riens grecs m'échappent.

HÉLÈNE. — Il ne s'agit pas de subtilités et de riens. Il s'agit au moins de monstres et de pyramides.

HECTOR. — Choisissez-vous le départ, oui ou non?

15 HÉLÈNE. — Ne me brusquez pas... Je choisis les événements comme je choisis les objets et les hommes. Je choisis ceux qui ne sont pas pour moi des ombres. Je choisis ceux que je vois.

HECTOR. — Je sais, vous l'avez dit : ceux que vous voyez colorés. Et vous ne vous voyez pas rentrant dans quelques jours au palais de Ménélas?

HÉLÈNE. — Non. Difficilement.

HECTOR. — On peut habiller votre mari très brillant [1] pour ce retour.

HÉLÈNE. — Toute la pourpre de toutes les coquilles [2] ne me le rendrait pas visible.

---

1. Emploi hardi de l'adjectif comme adverbe avec un verbe transitif actif. — 2. Les [Phé]niciens tiraient la *pourpre* de la *coquille* du murex.

HECTOR. — Voici ta concurrente, Cassandre. Celle-là aussi lit l'avenir.

HÉLÈNE. — Je ne lis pas l'avenir. Mais, dans cet avenir,
30 je vois des scènes colorées, d'autres ternes. Jusqu'ici ce sont toujours les scènes colorés qui ont eu lieu.

HECTOR. — Nous allons vous remettre aux Grecs en plein midi, sur le sable aveuglant, entre la mer violette et le mur ocre. Nous serons tous en cuirasse d'or à jupe
35 rouge, et entre mon étalon blanc et la jument noire de Priam, mes sœurs en péplum vert vous remettront nue à l'ambassadeur grec, dont je devine, au-dessus du casque d'argent, le plumet amarante. Vous voyez cela, je pense?

HÉLÈNE. — Non, du tout. C'est tout sombre.

40 HECTOR. — Vous vous moquez de moi, n'est-ce pas?

HÉLÈNE. — Me moquer, pourquoi? Allons! Partons, si vous voulez! Allons nous préparer pour ma remise aux Grecs. Nous verrons bien.

HECTOR. — Vous doutez-vous que vous insultez l'hu-
45 manité, ou est-ce inconscient?

HÉLÈNE. — J'insulte quoi?

HECTOR. — Vous doutez-vous que votre album de chromos est la dérision du monde? Alors que tous ici nous nous battons, nous nous sacrifions pour fabriquer une
50 heure qui soit à nous, vous êtes là à feuilleter vos gravures prêtes de toute éternité!... Qu'avez-vous? A laquelle vous arrêtez-vous avec ces yeux aveugles? A celle sans doute où vous êtes sur ce même rempart, contemplant la bataille? Vous la voyez, la bataille?

55 HÉLÈNE. — Oui.

HECTOR. — Et la ville s'effondre ou brûle, n'est-ce pas?

HÉLÈNE. — Oui, C'est rouge vif.

HECTOR. — Et Pâris? Vous voyez le cadavre de Pâris traîné derrière un char?

60 HÉLÈNE. — Ah! vous croyez que c'est Pâris? Je vois en effet un morceau d'aurore qui roule dans la poussière. Un diamant à sa main étincelle... Mais oui!... Je reconnais souvent mal les visages, mais toujours les bijoux. C'est bien sa bague.

HECTOR. — Parfait... Je n'ose vous questionner sur Andromaque et sur moi... sur le groupe Andromaque-Hector... Vous le voyez! Ne niez pas. Comment le voyez-vous? Heureux, vieilli, luisant?

HÉLÈNE. — Je n'essaie pas de le voir.

HECTOR. — Et le groupe Andromaque pleurant sur le corps d'Hector[1], il luit?

HÉLÈNE. — Vous savez, je peux très bien voir luisant, extraordinairement luisant, et qu'il n'arrive rien. Personne n'est infaillible.

HECTOR. — N'insistez pas. Je comprends... Il y a un fils entre la mère qui pleure et le père étendu?

HÉLÈNE. — Oui... Il joue avec les cheveux emmêlés du père... Il est charmant.

HECTOR. — Et elles sont au fond de vos yeux ces scènes? On peut les y voir?

HÉLÈNE. — Je ne sais pas. Regardez.

HECTOR. — Plus rien! Plus rien que la cendre de tous ces incendies, l'émeraude et l'or en poudre! Qu'elle est pure la lentille du monde! Ce ne sont pourtant pas les pleurs qui doivent la laver... Tu pleurerais, si on allait te tuer, Hélène?

HÉLÈNE. — Je ne sais pas. Mais je crierais. Et je sens que je vais crier, si vous continuez ainsi, Hector... Je vais crier.

HECTOR. — Tu repartiras ce soir pour la Grèce, Hélène, ou je te tue.

HÉLÈNE. — Mais je veux bien partir! Je suis prête à partir. Je vous répète seulement que je ne peux arriver à rien distinguer du navire qui m'emportera. Je ne vois scintiller ni la ferrure du mât de misaine, ni l'anneau du nez du capitaine, ni le blanc de l'œil du mousse.

HECTOR. — Tu rentreras sur une mer grise, sous un soleil gris. Mais il nous faut la paix.

HÉLÈNE. — Je ne vois pas la paix.

HECTOR. — Demande à Cassandre de te la montrer. Elle est sorcière. Elle évoque formes et génies.

---

[1] Voir la célèbre toile de David : *la Douleur d'Andromaque*.

UN MESSAGER. — Hector, Priam te réclame! Les prêtres s'opposent à ce que l'on ferme les portes de la guerre! Ils disent que les dieux y verraient une insulte.

HECTOR. — C'est curieux comme les dieux s'abstiennent de parler eux-mêmes dans les cas difficiles.

LE MESSAGER. — Ils ont parlé eux-mêmes. La foudre est tombée sur le temple, et les entrailles des victimes sont contre le renvoi d'Hélène.

HECTOR. — Je donnerais beaucoup pour consulter aussi les entrailles des prêtres... Je te suis.

Le guerrier sort.

HECTOR. — Ainsi, vous êtes d'accord, Hélène?

HÉLÈNE. — Oui.

HECTOR. — Vous direz désormais ce que je vous dirai de dire? Vous ferez ce que je vous dirai de faire?

HÉLÈNE. — Oui.

HECTOR. — Devant Ulysse, vous ne me contredirez pas, vous abonderez dans mon sens?

HÉLÈNE. — Oui.

HECTOR. — Écoute-la, Cassandre. Écoute ce bloc de négation qui dit oui! Tous m'ont cédé. Pâris m'a cédé, Priam m'a cédé, Hélène me cède. Et je sens qu'au contraire dans chacune de ces victoires apparentes, j'ai perdu. On croit lutter contre des géants, on va les vaincre, et il se trouve qu'on lutte contre quelque chose d'inflexible qui est un reflet sur la rétine d'une femme. Tu as beau me dire oui, Hélène, tu es comble d'une obstination qui me nargue!

HÉLÈNE. — C'est possible. Mais je n'y peux rien. Ce n'est pas la mienne.

HECTOR. — Par quelle divagation le monde a-t-il été placer son miroir dans cette tête obtuse!

HÉLÈNE. — C'est regrettable, évidemment. Mais vous voyez un moyen de vaincre l'obstination des miroirs?

HECTOR. — Oui, C'est à cela que je songe depuis un moment.

HÉLÈNE. — Si on les brise, ce qu'ils reflétaient n'en demeure peut-être pas moins?

HECTOR. — C'est là toute la question.

AUTRE MESSAGER. — Hector, hâte-toi. La plage est en révolte. Les navires des Grecs sont en vue, et ils ont hissé leur pavillon non au ramat[1], mais à l'écoutière[2]. L'honneur de notre marine est en jeu. Priam craint que l'envoyé ne soit massacré à son débarquement.

HECTOR. — Je te confie Hélène, Cassandre. J'enverrai mes ordres.

SCÈNE DIXIÈME

HÉLÈNE, CASSANDRE

CASSANDRE. — Moi je ne vois rien, coloré ou terne. Mais chaque être pèse sur moi par son approche même. A l'angoisse de mes veines, je sens son destin.

HÉLÈNE. — Moi, dans mes scènes colorées, je vois quelquefois un détail plus étincelant encore que les autres. Je ne l'ai pas dit à Hector. Mais le cou de son fils est illuminé, la place du cou où bat l'artère...

CASSANDRE. — Moi, je suis comme un aveugle qui va à tâtons. Mais c'est au milieu de la vérité que je suis aveugle. Eux tous voient, et ils voient le mensonge. Je tâte la vérité.

HÉLÈNE. — Notre avantage, c'est que nos visions se confondent avec nos souvenirs, l'avenir avec le passé! On devient moins sensible... C'est vrai que vous êtes sorcière, que vous pouvez évoquer la paix?

CASSANDRE. — La paix? Très facile. Elle écoute en mendiante derrière chaque porte... La voilà.

La Paix apparaît.

HÉLÈNE. — Comme est est jolie!

LA PAIX. — Au secours, Hélène, aide-moi!

HÉLÈNE. — Mais comme elle est pâle!

LA PAIX. — Je suis pâle? Comment, pâle! Tu ne vois pas cet or dans mes cheveux?

---

[1] et 2. — Termes peut-être inventés par l'auteur (l'écoute est un cordage fixé aux basses et permettant de les tendre).

HÉLÈNE. — Tiens, de l'or gris? C'est une nouveauté [1]...

LA PAIX. — De l'or gris! Mon or est gris?

La Paix disparaît.

25 HÉLÈNE. — Elle a disparu?

CASSANDRE. — Je pense qu'elle se met un peu de rouge.

---

1. Or allié de zinc, de nickel (xxe s.), et qui imite le platine, devenu hors de p[rix]
après 1914.

- **Hélène** (scènes 7 à 10)

① Analysez la belle image peu à peu enrichie :
— d'abord une apparente sottise, avec rabâchage automatique (sc. 7) et aveu de paresse et d'insensibilité (sc. 8);
— puis une indifférence essentielle à ce qu'elle-même dit (elle se contredit dans la scène 7, et la scène 8 détruit ce qu'elle affirmait sc. 7), aux autres, même les plus intimes (Ménélas, Pâris), à soi enfin (sc. 8); notez un soupçon de pitié, avec effort et gaucherie (sc. 9-10);
— à la base une soumission totale à ce qui doit être, destin, événements, volonté d'autrui (elle accepte le diktat d'Hector aussi passivement qu'elle avait accepté celui, inverse, de Pâris), afin d'être en harmonie avec le monde (sc. 9-10);
— d'où une fonction de miroir de l'univers, irresponsable, ouverte au merveilleux (elle voit la Paix), et brillamment exercée.

② Appréciez la fantaisie élégante dans :
— le ton mondain (sc. 8, attaque, touche de madrigal et badinage);
— le brillant des croquis (la Grèce, la restitution colorée) et des formules (antithèses, etc.);
— les images ou passages poétiques (le chasseur à la source, la restitution colorée, la mort de Pâris, le regard d'Hélène, la divination chez Cassandre);
— la fantaisie de notation (sc. 8, l. 14) et surtout de théories (colorisme subjectif) ou de merveilleux (cf. *la Paix* d'Aristophane); — les jeux de mots et anachronismes (cf. *chromos* : sc. 9, l. 48; *or gris* : sc. 10, l. 23).

③ Étudiez la dramatisation progressive de cette fin d'acte avec
— scène 7 purement comique;
— scène 8 allant de la fantaisie à l'analyse;
— scène 9 offrant l'obstacle du destin, l'exploration des catastrophes futures, le pathétique des vaines menaces, l'intrusion e[t] deux fois des exigences de l'action immédiate (obstacle et menace) et le sentiment de la vanité de l'action (cf. aussi II, 11);
— scène 10 révélant la divination angoissante d'Hélène o[u] angoissée de Cassandre, et l'anémie grave de la Paix.

La Paix reparaît, outrageusement fardée.

LA PAIX. — Et comme cela?

HÉLÈNE. — Je la vois de moins en moins.

LA PAIX. — Et comme cela?

CASSANDRE. — Hélène ne te voit pas davantage.

LA PAIX. — Tu me vois, toi, puisque tu me parles!

CASSANDRE. — C'est ma spécialité de parler à l'invisible.

LA PAIX. — Que se passe-t-il donc? Pourquoi les hommes dans la ville et sur la plage poussent-ils ces cris?

CASSANDRE. — Il paraît que leurs dieux entrent dans le jeu et aussi leur honneur.

LA PAIX. — Leurs dieux! Leur honneur!

CASSANDRE. — Oui... Tu es malade!

Le rideau tombe.

PH

Louis Jouvet *(Hector)* et Madeleine Ozeray *(Hélène)*,
à la création de la pièce en 1935.

HECTOR. — Ainsi vous êtes d'accord, Hélène?
HÉLÈNE. — Oui. (I, 9, l. 111).

ACTE DEUXIÈME

Square clos de palais. A chaque angle, échappée sur la mer. Au centre un monument, les portes de la guerre. Elles sont grandes ouvertes.

SCÈNE PREMIÈRE

HÉLÈNE, LE JEUNE TROÏLUS

HÉLÈNE. — Hé! là-bas! Oui, c'est toi que j'appelle!... Approche!

TROÏLUS. — Non.

HÉLÈNE. — Comment t'appelles-tu?

TROÏLUS. — Troïlus.

HÉLÈNE. — Viens ici!

TROÏLUS. — Non.

HÉLÈNE. — Viens ici, Troïlus!... *(Troïlus approche.)* Ah! te voilà! Tu obéis quand on t'appelle par ton nom : tu es encore très lévrier. C'est d'ailleurs gentil. Tu sais que tu m'obliges pour la première fois à crier, en parlant à un homme? Ils sont toujours tellement collés à moi que je n'ai qu'à bouger les lèvres. J'ai crié à des mouettes, à des biches, à l'écho, jamais à un homme. Tu me paieras cela... Qu'as-tu? Tu trembles?

TROÏLUS. — Je ne tremble pas.

HÉLÈNE. — Tu trembles, Troïlus.

TROÏLUS. — Oui, je tremble.

HÉLÈNE. — Pourquoi es-tu toujours derrière moi? Quand je vais dos au soleil et que je m'arrête, la tête de ton ombre bute toujours contre mes pieds. C'est tout juste si elle ne les dépasse pas. Dis-moi ce que tu veux...

TROÏLUS. — Je ne veux rien.

HÉLÈNE. — Dis-moi ce que tu veux. Troïlus!

TROÏLUS. — Tout! Je veux tout!

HÉLÈNE. — Tu veux tout. La lune?

TROÏLUS. — Tout! Plus que tout!

HÉLÈNE. — Tu parles déjà comme un vrai homme : tu veux m'embrasser, quoi!

30 TROÏLUS. — Non!

HÉLÈNE. — Tu veux m'embrasser, n'est-ce pas, mon petit Troïlus?

TROÏLUS. — Je me tuerais aussitôt après!

HÉLÈNE. — Approche... Quel âge as-tu?

35 TROÏLUS. — Quinze ans... Hélas!

HÉLÈNE. — Bravo pour « hélas »!... Tu as déjà embrassé des jeunes filles?

TROÏLUS. — Je les hais.

HÉLÈNE. — Tu en as déjà embrassé?

40 TROÏLUS. — On les embrasse toutes. Je donnerais ma vie pour n'en avoir embrassé aucune.

HÉLÈNE. — Tu me sembles disposer d'un nombre considérable d'existences. Pourquoi ne m'as-tu pas dit franchement « Hélène, je veux vous embrasser... »? Je ne vois
45 aucun mal à ce que tu m'embrasses... Embrasse-moi.

TROÏLUS. — Jamais.

HÉLÈNE. — A la fin du jour, quand je m'assieds aux créneaux pour voir le couchant sur les îles, tu serais arrivé doucement, tu aurais tourné ma tête vers toi avec tes
50 mains — de dorée, elle serait devenue sombre, tu l'aurais moins bien vue évidemment —, et tu m'aurais embrassée, j'aurais été très contente... « Tiens, me serais-je dit, le petit Troïlus m'embrasse!... » Embrasse-moi.

TROÏLUS. — Jamais.

55 HÉLÈNE. — Je vois. Tu me haïrais si tu m'avais embrassée?

TROÏLUS. — Ah! Les hommes ont bien de la chance d'arriver à dire ce qu'ils veulent dire!

HÉLÈNE. — Toi, tu le dis assez bien.

[*A la scène 2, Pâris, un peu jaloux, prend le baiser qu'Hélène destinait à Troïlus et qu'elle promet pour plus tard à ce dernier, qui s'éloigne.*]

SCÈNE TROISIÈME

HÉLÈNE, DEMOKOS, PÂRIS

DEMOKOS. — Hélène, une minute! Et regarde-moi bien en face. J'ai dans la main un magnifique oiseau que je vais lâcher... Là, tu y es?... C'est cela... Arrange tes cheveux et souris un beau sourire.

5 PÂRIS. — Je ne vois pas en quoi l'oiseau s'envolera mieux si les cheveux d'Hélène bouffent et si elle fait son beau sourire.

HÉLÈNE. — Cela ne peut pas me nuire en tout cas.

DEMOKOS. — Ne bouge plus... Une! Deux! Trois!
10 Voilà... c'est fait, tu peux partir...

- **Un intermède** (scènes 1 à 3)

① Analysez les deux badinages :
— sur les incertitudes de l'adolescence (sc. 1), avec la timidité et les contradictions de Troïlus (dégagez le mécanisme refus-acceptation), l'incitation au consentement par appel à l'être intime (prénom), les aspirations indéterminées (cf. le Chérubin du *Mariage de Figaro*), l'aspiration à la netteté adulte, le mépris de la vie, et les réactions extrêmes (*rien*, *tout*, *aucune*, *jamais*);
— sur l'inspiration poétique (sc. 3), avec la devinette anachronique (photographie) du comportement de Demokos, son explication fantaisiste (*oiseau invisible*, l. 12) et psychologique (mémorisation), mais aussi la rosserie voilée d'Hélène à son égard (invitation à pratiquer lui-même l'invisibilité).

② Étudiez la mise en œuvre dans :
— ses buts, tels que créer une détente après la fin assez grave de l'acte I, confirmer l'éclipse de Pâris (annoncée I, 1 et avouée I, 8 et 9), préparer l'image finale de la pièce (baiser Hélène-Troïlus II, 14) ainsi que le proche exposé de Demokos sur son hymne de guerre (II, 4);
— ses moyens, avec le comique grâce aux contradictions répétées de Troïlus et à sa façon de promettre plusieurs sacrifices de son existence; les brillantes pointes paradoxales sur la gaucherie éloquente; la préciosité de traits jolis (ombre aux pieds d'Hélène, baiser au crépuscule), et de la photographie métaphorique proposée en devinette.

③ Demandez-vous pourquoi Giraudoux, qui lors des représentations allégea sa pièce plus qu'il ne l'étoffa, jugea bon d'ajouter ici la scène 3.

HÉLÈNE. — Et l'oiseau?

DEMOKOS. — C'est un oiseau qui sait se rendre invisible.

HÉLÈNE. — La prochaine fois demande-lui sa recette.

Elle sort.

PÂRIS. — Quelle est cette farce?

15 DEMOKOS. — Je compose un chant sur le visage d'Hélène. J'avais besoin de bien le contempler, de le graver dans ma mémoire avec sourire et boucles. Il y est.

SCÈNE QUATRIÈME

DEMOKOS, PÂRIS, HÉCUBE, LA PETITE POLYXÈNE, ABNÉOS, LE GÉOMÈTRE, QUELQUES VIEILLARDS

HÉCUBE. — Enfin, vous allez nous la fermer, cette porte?

DEMOKOS. — Certainement non. Nous pouvons avoir à la rouvrir ce soir même.

HÉCUBE. — Hector le veut. Il décidera Priam.

5 DEMOKOS. — C'est ce que vous verrons. Je lui réserve d'ailleurs une surprise, à Hector!

LA PETITE POLYXÈNE. — Où mène-t-elle, la porte, maman?

ABNÉOS. — A la guerre, mon enfant. Quand elle est 10 ouverte, c'est qu'il y a la guerre.

DEMOKOS. — Mes amis...

HÉCUBE. — Guerre ou non, votre symbole est stupide. Cela fait tellement peu soigné, ces deux battants toujours ouverts! Tous les chiens s'y arrêtent.

15 LE GÉOMÈTRE. — Il ne s'agit pas de ménage. Il s'agit de la guerre et des dieux.

HÉCUBE. — C'est bien ce que je dis, les dieux ne savent pas fermer leurs portes.

LA PETITE POLYXÈNE. — Moi je les ferme très bien, n'est 20 ce pas, maman!

PÂRIS, *baisant les doigts de la petite Polyxène.* — Tu t prends même les doigts en les fermant, chérie.

DEMOKOS. — Puis-je enfin réclamer un peu de silence, Pâris?... Abnéos, et toi, Géomètre, et vous, mes amis, si je vous ai convoqués ici avant l'heure, c'est pour tenir notre premier conseil. Et c'est de bon augure que ce premier conseil de guerre ne soit pas celui des généraux, mais celui des intellectuels. Car il ne suffit pas, à la guerre, de fourbir des armes à nos soldats. Il est indispensable de porter au comble leur enthousiasme. L'ivresse physique, que leurs chefs obtiendront à l'instant de l'assaut par un vin à la résine[1] vigoureusement placé, restera vis-à-vis des Grecs inefficiente, si elle ne se double de l'ivresse morale que nous, les poètes, allons leur verser. Puisque l'âge nous éloigne du combat, servons du moins à le rendre sans merci. Je vois que tu as des idées là-dessus, Abnéos, et je te donne la parole.

ABNÉOS. — Oui. Il nous faut un chant de guerre.

DEMOKOS. — Très juste. La guerre exige un chant de guerre.

PÂRIS. — Nous nous en sommes passés jusqu'ici.

HÉCUBE. — Elle chante assez fort elle-même...

ABNÉOS. — Nous nous en sommes passés, parce que nous n'avons jamais combattu que des barbares. C'était de la chasse. Le cor suffisait. Avec les Grecs, nous entrons dans un domaine de guerre autrement relevé.

DEMOKOS. — Très exact, Abnéos. Ils ne se battent pas avec tout le monde.

PÂRIS. — Nous avons déjà un chant national.

ABNÉOS. — Oui. Mais c'est un chant de paix.

PÂRIS. — Il suffit de chanter un chant de paix avec grimace et gesticulation pour qu'il devienne un chant de guerre... Quelles sont déjà les paroles du nôtre?

ABNÉOS. — Tu le sais bien. Anodines. — C'est nous qui fauchons les moissons, qui pressons le sang de la vigne!

DEMOKOS. — C'est tout au plus un chant de guerre contre les céréales. Vous n'effraierez pas les Spartiates en menaçant le blé noir[2].

Vin saturé de résine de pin, administré par les Anciens comme stomachique, et encore en Grèce de nos jours. — 2. Le sarrasin.

PÂRIS. — Chante-le avec un javelot à la main et un
60 mort à tes pieds, et tu verras.

HÉCUBE. — Il y a le mot sang, c'est toujours cela.

PÂRIS. — Le mot moisson aussi. La guerre l'aime assez.

ABNÉOS. — Pourquoi discuter, puisque Demokos peut nous en livrer un tout neuf dans les deux heures?

65 DEMOKOS. — Deux heures, c'est un peu court.

HÉCUBE. — N'aie aucune crainte, c'est plus qu'il ne te faut. Et après le chant ce sera l'hymne, et après l'hymne la cantate[1]. Dès que la guerre est déclarée, impossible de tenir les poètes. La rime, c'est encore le meilleur
70 tambour[2].

DEMOKOS. — Et le plus utile, Hécube; tu ne crois pas si bien dire. Je la connais, la guerre. Tant qu'elle n'est pas là, tant que ses portes sont fermées, libre à chacun de l'insulter et de la honnir. Elle dédaigne les affronts du temps
75 de paix. Mais, dès qu'elle est présente, son orgueil est à vif, on ne gagne sa faveur, on ne la gagne, que si on la complimente et la caresse. C'est alors la mission de ceux qui savent parler et écrire, de louer la guerre, de l'aduler à chaque heure du jour, de la flatter sans arrêt aux places
80 claires ou équivoques de son énorme corps, sinon on se l'aliène. Voyez les officiers : Braves devant l'ennemi, lâches devant la guerre, c'est la devise des vrais généraux.

PÂRIS. — Et tu as même déjà une idée pour ton chant?

DEMOKOS. — Une idée merveilleuse, que tu compren-
85 dras mieux que personne... Elle doit être lasse qu'on l'affuble de cheveux de Méduse, de lèvres de Gorgone[3] : j'ai l'idée de comparer son visage au visage d'Hélène. Elle sera ravie de cette ressemblance.

LA PETITE POLYXÈNE. — A quoi ressemble-t-elle, la
90 guerre, maman?

HÉCUBE. — A ta tante Hélène.

LA PETITE POLYXÈNE. — Elle est bien jolie.

---

1. L'*hymne*, chez les anciens grecs, était un chant, accompagné de cithare et de d[illegible] rituelles, en l'honneur d'une divinité; la *cantate*, née en Italie au XVIIe s., met un p[illegible] galant ou héroïque en musique vocale, chorale et orchestrale. — 2. Voir p. 56, no[illegible] — 3. Voir p. 31 l'index des noms.

DEMOKOS. — Donc, la discussion est close. Entendu pour le chant de guerre. Pourquoi t'agiter, Géomètre?

LE GÉOMÈTRE. — Parce qu'il y a plus pressé que le chant de guerre, beaucoup plus pressé!

DEMOKOS. — Tu veux dire les médailles, les fausses nouvelles?

LE GÉOMÈTRE. — Je veux dire les épithètes.

HÉCUBE. — Les épithètes?

LE GÉOMÈTRE. — Avant de se lancer leurs javelots, les guerriers grecs se lancent des épithètes... Cousin de crapaud! se crient-ils! Fils de bœuf [1]!... Ils s'insultent, quoi! Et ils ont raison. Ils savent que le corps est plus vulnérable quand l'amour-propre est à vif. Des guerriers connus pour leur sang-froid le perdent illico quand on les traite de verrues ou de corps thyroïdes. Nous autres Troyens manquons terriblement d'épithètes.

DEMOKOS. — Le Géomètre a raison. Nous sommes vraiment les seuls à ne pas insulter nos adversaires avant de les tuer.

PÂRIS. — Tu ne crois pas suffisant que les civils s'insultent, Géomètre?

LE GÉOMÈTRE. — Les armées doivent partager les haines des civils. Tu les connais : sur ce point elles sont décevantes. Quand on les laisse à elles-mêmes, elles passent leur temps à s'estimer. Leurs lignes déployées deviennent bientôt les seules lignes de vraie fraternité dans le monde, et du fond du champ de bataille, où règne une considération mutuelle, la haine est refoulée sur les écoles, les salons ou le petit commerce. Si nos soldats ne sont pas au moins à égalité dans le combat d'épithètes, ils perdront tout goût à l'insulte, à la calomnie, et par suite immanquablement à la guerre.

DEMOKOS. — Adopté! Nous leur organiserons un concours dès ce soir.

Voir l'*Iliade*, chant XIII, v. 810 et 824. Ajax : « Grand fou! » et Hector : « Ajax propos menteurs, grand vantard » ou, plus durement entre gens du même camp nt I, v. 149, 159 et 225) : « Cœur vêtu d'effronterie », « Face de chien », « Sac à vin, de chien et cœur de cerf ».

PÂRIS. — Je les crois assez grands pour les trouver eux-mêmes.

DEMOKOS. — Quelle erreur! Tu les trouverais de toi-
130 même, tes épithètes, toi qui passes pour habile?

PÂRIS. — J'en suis persuadé.

DEMOKOS. — Tu te fais des illusions. Mets-toi en face d'Abnéos, et commence.

PÂRIS. — Pourquoi d'Abnéos?

135 DEMOKOS. — Parce qu'il prête aux épithètes, ventru et bancal comme il est.

ABNÉOS. — Dis donc, moule à tarte!

PÂRIS. — Non. Abnéos ne m'inspire pas. Mais en face de toi, si tu veux.

140 DEMOKOS. — De moi? Parfait! Tu vas voir ce que c'est, l'épithète improvisée! Compte dix pas... J'y suis... Commence...

HÉCUBE. — Regarde-le-bien. Tu seras inspiré.

PÂRIS. — Vieux parasite! Poète aux pieds sales!

145 DEMOKOS. — Une seconde... Si tu faisais précéder les épithètes du nom, pour éviter les méprises...

PÂRIS. — En effet, tu as raison... Demokos! Œil de veau! Arbre à pellicules!

DEMOKOS. — C'est grammaticalement correct, mais
150 bien naïf. En quoi le fait d'être appelé arbre à pellicules peut-il me faire monter l'écume aux lèvres et me pousser à tuer! Arbre à pellicules est complètement inopérant.

HÉCUBE. — Il t'appelle aussi Œil de veau.

DEMOKOS. — Œil de veau est un peu mieux... Mais tu
155 vois comme tu patauges, Pâris? Cherche donc ce qui peut m'atteindre. Quels sont mes défauts, à ton avis?

PÂRIS. — Tu es lâche, ton haleine est fétide, et tu n'as aucun talent.

DEMOKOS. — Tu veux une gifle?

160 PÂRIS. — Ce que j'en dis, c'est pour te faire plaisir.

LA PETITE POLYXÈNE. — Pourquoi gronde-t-on l'oncle Demokos, maman?

HÉCUBE. — Parce que c'est un serin, chérie!

DEMOKOS. — Vous dites, Hécube?

HÉCUBE. — Je dis que tu es un serin, D
que si les serins avaient la bêtise, la préten
et la puanteur des vautours, tu serais un

DEMOKOS. — Tiens, Pâris! Ta mère est pl
Prends modèle. Une heure d'exercice par jour
soldat, et Hécube nous donne la supériorité en épithètes. Et pour le chant de la guerre, je ne sais pas non plus s'il n'y aurait pas avantage à le lui confier...

HÉCUBE. — Si tu veux. Mais je ne dirais pas qu'elle ressemble à Hélène.

DEMOKOS. — Elle ressemble à qui, d'après toi?

HÉCUBE. — Je te le dirai quand la porte sera fermée.

- **Les bellicistes** (scène 4)

① Détaillez leurs grandes manœuvres :
— le rôle des intellectuels (contraindre au « moral »; cf. Déroulède, Barrès);
— la foi en une guerre imminente grâce à un artifice annoncé pour la suite (Busiris, II, 5);
— la séduction métaphorique de la guerre, comme rite social (bonnes manières, distinction) et comme être personnifié avec exigences et amour-propre;
— les moyens obliques, tels qu'ivresse physique (cf. le pinard de 1914-18), amour-propre (les *médailles*, ici — l. 97 — anachroniques), mensonges (cf. le « bourrage de crâne » des deux guerres), provocations ou injures (cf. les célèbres insultes homériques de l'*Iliade*) et confusion entre adversaires et ennemis (la haine obligatoire, récusée par les vrais combattants : cf. Hector I, 3 et la fraternisation dans les tranchées de 1914-18 durant les accalmies).

② Étudiez les moyens de la condamnation des bellicistes par le comique :
— réduction externe par la familiarité (portes de la guerre, hymne);
— hyperbole accusatrice (le serin mué en vautour, l. 166-67);
— caricature d'Abnéos par Demokos et de Demokos par Pâris;
— dénonciation interne (auto-satire involontaire) dans l'incitation à se battre formulée par des non-combattants, l'antimilitarisme inconcient de Demokos (sur les officiers), l'aveu des moyens obliques utilisés, la volonté de haine (opposée aux sentiments réels des combattants) et la médiocrité, donc l'artifice, des injures sophistiquées (alors que la vérité seule blesse Demokos).

SCÈNE CINQUIÈME

LES MÊMES, PRIAM, HECTOR,
puis ANDROMAQUE, *puis* HÉLÈNE

Pendant la fermeture des portes, Andromaque prend à part la petite Polyxène, et lui confie une commission ou un secret.

HECTOR. — Elle [1] va l'être.

DEMOKOS. — Un moment, Hector!

HECTOR. — La cérémonie n'est pas prête?

HÉCUBE. — Si. Les gonds nagent dans l'huile d'olive.

5 HECTOR. — Alors?

PRIAM. — Ce que nos amis veulent dire, Hector, c'est que la guerre aussi est prête. Réfléchis bien. Ils n'ont pas tort. Si tu fermes cette porte, il va peut-être falloir la rouvrir dans une minute.

10 HÉCUBE. — Une minute de paix, c'est bon à prendre.

HECTOR. — Mon père, tu dois pourtant savoir ce que signifie la paix pour des hommes qui depuis des mois se battent. C'est toucher enfin le fond pour ceux qui se noient ou s'enlisent. Laisse-nous prendre pied sur le
15 moindre carré de paix, effleurer la paix une minute, fût-ce de l'orteil!

PRIAM. — Hector, songe que jeter aujourd'hui le mot paix dans la ville est aussi coupable que d'y jeter un poison. Tu vas y détendre le cuir et le fer [2]. Tu vas frapper
20 avec le mot paix la monnaie courante des souvenirs, des affections, des espoirs. Les soldats vont se précipiter pour acheter le pain de paix, boire le vin de paix, étreindre la femme de paix, et dans une heure tu les remettras face à la guerre.

25 HECTOR. — La guerre n'aura pas lieu!

On entend des clameurs du côté du port.

DEMOKOS. — Non? Écoute!

---

1. La porte : voir la fin de la scène 4. — 2. Matériaux essentiels de l'arme antique (cf. *cuir*asse); bon exemple de métonymie (remplacement d'un mot, ici armes un autre auquel il est lié logiquement ou concrètement, ici par le lien objet — maté

HECTOR. — Fermons les portes. C'est ici que nous recevrons tout à l'heure les Grecs. La conversation sera déjà assez rude. Il convient de les recevoir dans la paix.

30 PRIAM. — Mon fils, savons-nous même si nous devons permettre aux Grecs de débarquer?

HECTOR. — Ils débarqueront. L'entrevue avec Ulysse est notre dernière chance de paix.

DEMOKOS. — Ils ne débarqueront pas. Notre honneur 35 est en jeu. Nous serions la risée du monde...

HECTOR. — Et tu prends sur toi de conseiller au Sénat une mesure qui signifie la guerre?

DEMOKOS. — Sur moi? Tu tombes mal. Avance, Busiris. Ta mission commence.

40 HECTOR. — Quel est cet étranger?

DEMOKOS. — Cet étranger est le plus grand expert vivant du droit des peuples. Notre chance veut qu'il soit aujourd'hui de passage dans Troie. Tu ne diras pas que c'est un témoin partial. C'est un neutre. Notre Sénat se 45 range à son avis, qui sera demain celui de toutes les nations.

HECTOR. — Et quel est ton avis?

BUSIRIS. — Mon avis, princes, après constat de visu [1] et enquête subséquente [2], est que les Grecs se sont rendus 50 vis-à-vis de Troie coupables de trois manquements aux règles internationales. Leur permettre de débarquer serait vous retirer cette qualité d'offensés qui vous vaudra, dans le conflit, la sympathie universelle.

HECTOR. — Explique-toi.

BUSIRIS. — Premièrement ils ont hissé leur pavillon au ramat et non à l'écoutière [3]. Un navire de guerre, princes et chers collègues, hisse sa flamme au ramat dans le seul cas de réponse au salut d'un bateau chargé de bœufs. Devant une ville et sa population, c'est donc le type même de l'insulte.[4] Nous avons d'ailleurs un précédent. Les Grecs ont hissé l'année dernière leur pavillon au ramat en entrant dans le port d'Ophéa. La riposte a été cinglante. Ophéa a déclaré la guerre.

1. Par témoignage oculaire. — 2. Qui vient après (dans le temps ou dans une série). 3. Voir p. 63, en note. — 4. Les bœufs étant, à l'inverse des taureaux (voir p. 80, 153), incapables de se reproduire (voir aussi p. 99, l. 137).

HECTOR. — Et qu'est-il arrivé?

65 BUSIRIS. — Ophéa a été vaincue. Il n'y a plus d'Ophéa, ni d'Ophéens.

HÉCUBE. — Parfait.

BUSIRIS. — L'anéantissement d'une nation ne modifie en rien l'avantage de sa position morale internationale.

70 HECTOR. — Continue.

BUSIRIS. — Deuxièmement, la flotte grecque en pénétrant dans vos eaux territoriales a adopté la formation dite de face. Il avait été question, au dernier congrès, d'inscrire cette formation dans le paragraphe des mesures 75 dites défensives-offensives. J'ai été assez heureux pour obtenir qu'on lui restituât sa vraie qualité de mesure offensive-défensive : elle est donc bel et bien une des formes larvées du front de mer qui est lui-même une forme larvée du blocus, c'est-à-dire qu'elle constitue un 80 manquement au premier degré! Nous avons aussi un précédent. Les navires grecs, il y a cinq ans, ont adopté la formation de face en ancrant devant Magnésie [1]. Magnésie dans l'heure a déclaré la guerre.

HECTOR. — Elle l'a gagnée?

85 BUSIRIS. — Elle l'a perdue. Il ne subsiste plus une pierre de ses murs. Mais mon paragraphe subsiste.

HÉCUBE. — Je t'en félicite. Nous avions eu peur.

HECTOR. — Achève.

BUSIRIS. — Le troisième manquement est moins grave. 90 Une des trirèmes [2] grecques a accosté sans permission et par traîtrise. Son chef Oiax, le plus brutal et le plus mauvais coucheur des Grecs, monte vers la ville en semant le scandale et la provocation, et criant qu'il veut tuer Pâris. Mais, au point de vue international, ce manquement est 95 négligeable. C'est un manquement qui n'a pas été fait dans les formes.

DEMOKOS. — Te voilà renseigné. La situation a deux issues. Encaisser un outrage ou le rendre. Choisis.

---

1. Voir p. 32 l'index géographique. — 2. Nom romain des trières grecques (navir[es de] guerre à trois rangs de rames superposés).

HECTOR. — Oneah, cours au-devant d'Oiax! Arrange-
100 toi pour le rabattre [1] ici.

PÂRIS. — Je l'y attends.

HECTOR. — Tu me feras le plaisir de rester au palais jusqu'à ce que je t'appelle. Quant à toi, Busiris, apprends que notre ville n'entend d'aucune façon avoir été insultée
105 par les Grecs.

BUSIRIS. — Je n'en suis pas surpris. Sa fierté d'hermine [2] est légendaire.

HECTOR. — Tu vas donc, et sur-le-champ, me trouver une thèse qui permette à notre Sénat de dire qu'il n'y
10 a pas eu manquement de la part de nos visiteurs, et à nous, hermines immaculées, de les recevoir en hôtes.

DEMOKOS. — Quelle est cette plaisanterie?

BUSIRIS. — C'est contre les faits, Hector.

HECTOR. — Mon cher Busiris, nous savons tous ici
15 que le droit est la plus puissante des écoles de l'imagination. Jamais poète n'a interprété la nature aussi librement qu'un juriste la réalité.

BUSIRIS. — Le Sénat m'a demandé une consultation, je la donne.

0 HECTOR. — Je te demande, moi, une interprétation. C'est plus juridique encore.

BUSIRIS. — C'est contre ma conscience.

HECTOR. — Ta conscience a vu périr Ophéa, périr Magnésie, et elle envisage d'un cœur léger la perte de Troie?

HÉCUBE. — Oui. Il est de Syracuse [3].

HECTOR. — Je t'en supplie, Busiris. Il y va de la vie de deux peuples. Aide-nous.

BUSIRIS. — Je ne peux vous donner qu'une aide, la vérité.

HECTOR. — Justement. Trouve une vérité qui nous sauve. Si le droit n'est pas l'armurier des innocents, à quoi sert-il? Forge-nous une vérité. D'ailleurs, c'est très

. Amener le gibier à venir à proximité des chasseurs. — 2. Sorte de belette au pelage nacul̀é, blanc l'hiver, et symbole de la pureté (cf. la pièce d'Anouilh portant ce titre). 3. La Sicile est en effet loin de Troie.

simple, si tu ne la trouves pas, nous te gardons ici tant que durera la guerre.

135 BUSIRIS. — Que dites-vous?

DEMOKOS. — Tu abuses de ton rang, Hector!

HÉCUBE. — On emprisonne le droit pendant la guerre. On peut bien emprisonner un juriste.

HECTOR. — Tiens-le-toi pour dit, Busiris. Je n'ai jamais 140 manqué ni à mes menaces ni à mes promesses. Ou ces gardes te mènent en prison pour des années, ou tu pars ce soir même couvert d'or. Ainsi renseigné, soumets de nouveau la question à ton examen le plus impartial.

BUSIRIS. — Évidemment, il y a des recours.

145 HECTOR. — J'en étais sûr.

BUSIRIS. — Pour le premier manquement, par exemple, ne peut-on interpréter dans certaines mers bordées de régions fertiles le salut au bateau chargé de bœufs comme un hommage de la marine à l'agriculture?

150 HECTOR. — En effet, c'est logique. Ce serait en somme le salut de la mer à la terre.

BUSIRIS. — Sans compter qu'une cargaison de bétail peut être une cargaison de taureaux. L'hommage en ce cas touche à la flatterie.

155 HECTOR. — Voilà. Tu m'a compris. Nous y sommes.

BUSIRIS. — Quant à la formation de face [1], il est tout aussi naturel de l'interpréter comme une avance que comme une provocation. Les femmes qui veulent avoir des enfants se présentent de face, et non de flanc.

160 HECTOR. — Argument décisif.

BUSIRIS. — D'autant que les Grecs ont à leur proue des nymphes sculptées gigantesques. Il est permis de dire que le fait de présenter aux Troyens, non plus le navire en tant qu'unité navale, mais la nymphe en tant que sym-165 bole fécondant, est juste le contraire d'une insulte. Une femme qui vient vers vous nue et les bras ouverts n'est pas une menace, mais une offre. Une offre à causer en tout cas...

---

1. Voir l. 72 et suiv.

HECTOR. — Et voilà notre honneur sauf, Demokos. Que l'on publie dans la ville la consultation de Busiris, et toi, Minos, cours donner l'ordre au capitaine du port de faire immédiatement débarquer Ulysse.

DEMOKOS. — Cela devient impossible de discuter d'honneur avec ces anciens combattants. Ils abusent vraiment du fait qu'on ne peut les traiter de lâches.

LE GÉOMÈTRE. — Prononce en tout cas le discours aux morts, Hector. Cela te fera réfléchir...

HECTOR. — Il n'y aura pas de discours aux morts.

PRIAM. — La cérémonie le comporte. Le général victorieux doit rendre hommage aux morts quand les portes se ferment.

HECTOR. — Un discours aux morts de la guerre, c'est un plaidoyer hypocrite pour les vivants, une demande d'acquittement. C'est la spécialité des avocats. Je ne suis pas assez sûr de mon innocence...

DEMOKOS. — Le commandement est irresponsable.

HECTOR. — Hélas! tout le monde l'est, les dieux aussi! D'ailleurs je l'ai fait déjà, mon discours aux morts. Je le leur ai fait à leur dernière minute de vie, alors qu'adossés un peu de biais aux oliviers du champ de bataille, ils disposaient d'un reste d'ouïe et de regard. Et je peux vous répéter ce que je leur ai dit. Et à l'éventré, dont les prunelles tournaient déjà, j'ai dit : « Eh bien, mon vieux, ça ne va pas si mal que ça... » Et à celui dont la massue avait ouvert en deux le crâne : « Ce que tu peux être laid avec ce nez fendu! » Et à mon petit écuyer, dont le bras gauche pendait et dont fuyait le dernier sang : « Tu as de la chance de t'en tirer avec le bras gauche... » Et je suis heureux de leur avoir fait boire à chacun une suprême goutte à la gourde de la vie. C'était tout ce qu'ils réclamaient, ils sont morts en la suçant... Et je n'ajouterai pas un mot. Fermez les portes.

LA PETITE POLYXÈNE. — Il est mort aussi, le petit écuyer?

HECTOR. — Oui, mon chat. Il est mort. Il a soulevé la main droite. Quelqu'un que je ne voyais pas le prenait par sa main valide. Et il est mort.

DEMOKOS. — Notre général semble confondre paroles aux mourants et discours aux morts.

PRIAM. — Ne t'obstine pas, Hector.

210 HECTOR. — Très bien, très bien, je leur parle...

Il se place au pied des portes.

HECTOR. — Ô vous qui ne nous entendez pas, qui ne nous voyez pas, écoutez ces paroles, voyez ce cortège. Nous sommes les vainqueurs. Cela vous est bien égal, n'est-ce pas? Vous aussi vous l'êtes. Mais, nous, nous 215 sommes les vainqueurs vivants. C'est ici que commence la différence. C'est ici que j'ai honte. Je ne sais si dans la foule des morts on distingue les morts vainqueurs par une cocarde. Les vivants, vainqueurs ou non, ont la vraie cocarde, la double cocarde. Ce sont leurs yeux. Nous, 220 nous avons deux yeux, mes pauvres amis. Nous voyons le soleil. Nous faisons tout ce qui se fait dans le soleil. Nous mangeons. Nous buvons... Et dans le clair de lune!... Nous couchons avec nos femmes... Avec les vôtres aussi...

DEMOKOS. — Tu insultes les morts, maintenant?

225 HECTOR. — Vraiment, tu crois?

DEMOKOS. — Ou les morts, ou les vivants.

HECTOR. — Il y a une distinction...

PRIAM. — Achève, Hector... Les Grecs débarquent...

HECTOR. — J'achève... Ô vous qui ne sentez [1] pas, qui 230 ne touchez pas, respirez cet encens, touchez ces offrandes. Puisque enfin c'est un général sincère qui vous parle, apprenez que je n'ai pas une tendresse égale, un respect égal pour vous tous. Tout morts que vous êtes, il y a chez vous la même proportion de braves et de peureux que 235 chez nous qui avons survécu et vous ne me ferez pas confondre, à la faveur d'une cérémonie, les morts que j'admire avec les morts que je n'admire pas. Mais ce que j'ai à vous dire aujourd'hui, c'est que la guerre me semble la recette la plus sordide et la plus hypocrite pour égaliser 240 les humains et que je n'admets pas plus la mort comme châtiment ou comme expiation au lâche que comme récompense aux vivants. Aussi qui que vous soyez, vous absents, vous inexistants, vous oubliés, vous sans occupation, sans repos, sans être, je comprends en effet qu'il 245 faille en fermant ces portes excuser près de vous ces déser-

1. Allusion aux sensations olfactives.

teurs que sont les survivants, et ressentir comme un privilège et un vol ces deux biens, qui s'appellent de deux noms dont j'espère que la résonance ne vous atteint jamais, la chaleur et le ciel.

LA PETITE POLYXÈNE. — Les portes se ferment, maman!

HÉCUBE. — Oui, chérie.

LA PETITE POLYXÈNE. — Ce sont les morts qui les poussent.

HÉCUBE. — Ils aident, un petit peu.

LA PETITE POLYXÈNE. — Ils aident bien, surtout à droite.

HECTOR. — C'est fait? Elles sont fermées?

LE GARDE. — Un coffre-fort...

HECTOR. — Nous sommes en paix, père, nous sommes en paix.

HÉCUBE. — Nous sommes en paix!

LA PETITE POLYXÈNE. — On se sent bien mieux, n'est-ce pas, maman?

HECTOR. — Vraiment, chérie!

LA PETITE POLYXÈNE. — Moi je me sens bien mieux.

La musique des Grecs éclate.

UN MESSAGER. — Leurs équipages ont mis pied à terre, Priam!

DEMOKOS. — Quelle musique! Quelle horreur de musique! C'est de la musique antitroyenne au plus haut point! Allons les recevoir comme il convient.

HECTOR. — Recevez-lez royalement et qu'ils soient ici sans encombre. Vous êtes responsables!

LE GÉOMÈTRE. — Opposons-leur en tout cas la musique troyennc. Hector, à défaut d'autre indignation, autorisera peut-être le conflit musical?

LA FOULE. — Les Grecs! Les Grecs!

UN MESSAGER. — Ulysse est sur l'estacade, Priam! Où faut-il le conduire?

PRIAM. — Ici même. Préviens-nous au palais... Toi aussi, viens, Pâris. Tu n'as pas trop à circuler, en ce moment.

HECTOR. — Allons préparer notre discours aux Grecs, père.

DEMOKOS. — Prépare-le un peu mieux que celui aux morts, tu trouveras plus de contradiction. *(Priam et ses*
285 *fils sortent.)* Tu t'en vas aussi, Hécube? Tu t'en vas sans nous avoir dit à quoi ressemblait la guerre[1]?

---

1. Voir p. 72, l. 87-88 et p. 75, l. 173-176.

- **Autour des portes de la guerre** (scène 5)

① Appréciez dans l'épisode de Busiris (rajouté aux représentations) :
— le comique du technocrate à jargon et de son revirement quand il se trouve personnellement impliqué;
— la satire du juridisme abstrait et cosmopolite;
— la dénonciation d'une dialectique fragile, aux interprétations symbolico-métaphoriques sollicitées et aisément réversibles;
— le paradoxe du droit comme école d'imagination.

② Étudiez le discours aux morts (l. 211-249) avec :
— la satire du discours à la Poincaré (cf. *Bella*, chap. 5);
— une première approche dans les « paroles aux mourants » (cf. *Adorable Clio*);
— le discours proprement dit, comme antithèse aux traditionnels discours du genre, par refus initial de l'éloquence (phrases sèches), de l'apostrophe métaphorique (comme si les morts pouvaient entendre) et de l'avocasserie hypocrite (Hector est un « général sincère »); par refus conceptuel de confondre vivants et morts (sous l'étiquette commune de vainqueurs), de distinguer entre veuves civiles et veuves de guerre (qui n'auraient pas le droit, elles, de refaire leur vie), d'accorder à tous les morts du respect (que vivants ils pouvaient ne pas mériter) et de croire à la sensibilité des morts (ici, l'auteur renie l'Isabelle d'*Intermezzo*); enfin, par refus d'embellir le sort des morts (volonté de prendre la vie pour critère positif et absolu);
— le pathétique lucide d'Hector, dans sa honte de déserteur devant les morts de la guerre, dans sa pitié de vivant envers les morts, et dans l'éloquence de la double attaque (*O vous qui...*, l. 211 et 229) et de la seconde moitié du discours.

③ Analysez bellicisme et anti-bellicisme :
— bellicisme noble (Priam, élargissant la thèse de Demokos soutenue en II, 4);
— bellicisme ignoble (Demokos et le chantage à l'honneur, le Géomètre et l'intolérance esthétique);
— anti-bellicisme cru (Hécube et le *cul de singe* shakespearien, l. 289);
— anti-bellicisme naïf (la petite Polyxène et le bonheur de la paix).

Giraudoux 1882 - 1944

French
Greek
phil.
master's in German

diplomat Munich 1905
tried adv. degree in
German but not quite
lecturer at Harv. 1907-08
1914 WWI wounded
foreign serv. 1921-27
publishg
1928-39 theatre 1935 Guerre de T.
1939 min. of info
Siegfried
Themes Ondine 39

Influences

NOTES & MEMOS

NOTES & MEMOS

NOTES & MEMOS

HÉCUBE. — Tu tiens à le savoir?

DEMOKOS. — Si tu l'as vue, dis-le.

HÉCUBE. — A un cul de singe. Quand la guenon est
90 montée à l'arbre et nous montre un fondement rouge, tout squameux[1] et glacé, ceint d'une perruque immonde, c'est exactement la guerre que l'on voit, c'est son visage.

DEMOKOS. — Avec celui d'Hélène, cela lui en fait deux.

Il sort.

ANDROMAQUE. — La voilà justement, Hélène. Polyxène,
95 tu te rappelles bien ce que tu as à lui dire?

LA PETITE POLYXÈNE. — Oui...

ANDROMAQUE. — Va...

[*A la scène 6, Hélène désarme, à force de maïeutique et de sophismes, la petite Polyxène qui lui demandait de partir; à la scène 7, Hécube constate sans plaisir les effets de cette méthode sur l'âge tendre et impressionnable de sa fille.*]

SCÈNE HUITIÈME

HÉLÈNE, ANDROMAQUE

HÉLÈNE. — L'explication, alors?

ANDROMAQUE. — Je crois qu'il la faut.

HÉLÈNE. — Écoutez-les crier et discuter là-bas, tous tant qu'ils sont! Cela ne suffit pas? Il faut encore que les belles-sœurs s'expliquent? S'expliquent quoi, puisque je pars?

ANDROMAQUE. — Que vous partiez ou non, ce n'est plus la question, Hélène.

HÉLÈNE. — Dites cela à Hector. Vous faciliterez sa journée.

ANDROMAQUE. — Oui, Hector s'accroche à l'idée de votre départ. Il est comme tous les hommes. Il suffit

---

1. L'épiderme couvert de lamelles écailleuses.

d'un lièvre pour le détourner du fourré où est la panthère. Le gibier des hommes peut se chasser ainsi. Pas
15 celui des dieux.

HÉLÈNE. — Si vous avez découvert ce qu'ils veulent, les dieux, dans toute cette histoire, je vous félicite.

ANDROMAQUE. — Je ne sais pas si les dieux veulent quelque chose. Mais l'univers veut quelque chose.
20 Depuis ce matin, tout me semble le réclamer, le crier, l'exiger, les hommes, les bêtes, les plantes... Jusqu'à cet enfant en moi...

HÉLÈNE. — Ils réclament quoi?

ANDROMAQUE. — Que vous aimiez Pâris.

25 HÉLÈNE. — S'ils savent que je n'aime point Pâris, ils sont mieux renseignés que moi.

ANDROMAQUE. — Vous ne l'aimez pas! Peut-être pourriez-vous l'aimer. Mais, pour le moment, c'est dans un malentendu que vous vivez tous deux.

30 HÉLÈNE. — Je vis avec lui dans la bonne humeur, dans l'agrément, dans l'accord. Le malentendu de l'entente, je ne vois pas très bien ce que cela peut être.

ANDROMAQUE. — Vous ne l'aimez pas. On ne s'entend pas, dans l'amour. La vie de deux époux qui s'aiment,
35 c'est une perte de sang-froid perpétuelle. La dot des vrais couples est la même que celle des couples faux : le désaccord originel. Hector est le contraire de moi. Il n'a aucun de mes goûts. Nous passons notre journée ou à nous vaincre l'un l'autre ou à nous sacrifier. Les
40 époux amoureux n'ont pas le visage clair.

HÉLÈNE. — Et si mon teint était de plomb, quand j'approche Pâris, et mes yeux blancs, et mes mains moites, vous pensez que Ménélas en serait transporté, les Grecs épanouis?

45 ANDROMAQUE. — Peu importerait alors ce que pensent les Grecs!

HÉLÈNE. — Et la guerre n'aurait pas lieu?

ANDROMAQUE. — Peut-être, en effet, n'aurait-elle pas lieu! Peut-être, si vous vous aimiez, l'amour appellerait-
50 il à son secours l'un de ses égaux, la générosité, l'intelligence... Personne, même le destin, ne s'attaque d'un

cœur léger à la passion... Et même si elle avait lieu, tant pis!

HÉLÈNE. — Ce ne serait sans doute pas la même guerre?

55 ANDROMAQUE. — Oh! non, Hélène! Vous sentez bien ce qu'elle sera, cette lutte. Le sort ne prend pas tant de précautions pour un combat vulgaire. Il veut construire l'avenir sur elle, l'avenir de nos races, de nos peuples, de nos raisonnements. Et que nos idées et que notre 60 avenir soient fondés sur l'histoire d'une femme et d'un homme qui s'aimaient, ce n'est pas si mal. Mais il ne voit pas que vous n'êtes qu'un couple officiel... Penser que nous allons souffrir, mourir, pour un couple officiel, que la splendeur ou le malheur des âges, que les habitudes 65 des cerveaux et des siècles vont se fonder sur l'aventure de deux êtres qui ne s'aimaient pas, c'est là l'horreur.

HÉLÈNE. — Si tous croient que nous nous aimons, cela revient au même.

ANDROMAQUE. — Ils ne le croient pas. Mais aucun 70 n'avouera qu'il ne le croit pas. Aux approches de la guerre, tous les êtres sécrètent une nouvelle sueur, tous les événements revêtent un nouveau vernis, qui est le mensonge. Tous mentent. Nos vieillards n'adorent pas la beauté, ils s'adorent eux-mêmes, ils adorent la laideur. Et l'indignation des Grecs est un mensonge. Dieu sait s'ils se moquent de ce que vous pouvez faire avec Pâris, les Grecs! Et leurs bateaux qui accostent là-bas dans les banderolles et les hymnes, c'est un mensonge de la mer. Et la vie de mon fils, et la vie d'Hector vont se jouer sur l'hypocrisie et le simulacre, c'est épouvantable!

HÉLÈNE. — Alors?

ANDROMAQUE. — Alors je vous en supplie, Hélène. Vous me voyez là pressée contre vous comme si je vous suppliais de m'aimer. Aimez Pâris! Ou dites-moi que je me trompe! Dites-moi que vous vous tuerez s'il mourait! Que vous accepterez qu'on vous défigure pour qu'il vive!... Alors la guerre ne sera plus qu'un fléau, pas une injustice. J'essaierai de la supporter.

HÉLÈNE. — Chère Andromaque, tout cela n'est pas si simple. Je ne passe point mes nuits, je l'avoue, à

réfléchir sur le sort des humains, mais il m'a toujours semblé qu'ils se partageaient en deux sortes. Ceux qui sont, si vous voulez, la chair de la vie humaine. Et ceux qui en sont l'ordonnance, l'allure. Les premiers
95 ont le rire, les pleurs, et tout ce que vous voudrez en sécrétions. Les autres ont le geste, la tenue, le regard. Si vous les obligez à ne faire qu'une race, cela ne va plus aller du tout. L'humanité doit autant à ses vedettes qu'à ses martyrs.

100 ANDROMAQUE. — Hélène!

HÉLÈNE. — D'ailleurs vous êtes difficile... Je ne le trouve pas si mal que cela, mon amour. Il me plaît, à moi. Évidemment cela ne tire pas sur mon foie ou ma rate quand Pâris m'abandonne pour le jeu de boules
105 ou la pêche au congre. Mais je suis commandée par lui, aimantée par lui. L'aimantation, c'est aussi un amour, autant que la promiscuité. C'est une passion autrement ancienne et féconde que celle qui s'exprime par les yeux rougis de pleurs ou se manifeste par le frottement. Je
110 suis aussi à l'aise dans cet amour qu'une étoile dans sa constellation. J'y gravite, j'y scintille, c'est ma façon à moi de respirer et d'étreindre. On voit très bien les fils qu'il peut produire, cet amour, de grands êtres clairs, bien distincts, avec des doigts annelés et un nez court.
115 Qu'est-ce qu'il va devenir, si j'y verse la jalousie, la tendresse et l'inquiétude! Le monde est déjà si nerveux : voyez vous-même!

ANDROMAQUE. — Versez-y la pitié, Hélène. C'est la seule aide dont ait besoin le monde.

120 HÉLÈNE. — Voilà, cela devait venir, le mot est dit.

ANDROMAQUE. — Quel mot?

HÉLÈNE. — Le mot pitié. Adressez-vous ailleurs. Je ne suis pas très forte en pitié.

ANDROMAQUE. — Parce que vous ne connaissez pas
125 le malheur!

HÉLÈNE. — Je le connais très bien. Et les malheureux aussi. Et nous sommes très à l'aise ensemble. Tout enfant, je passais mes journées dans les huttes collées au palais, avec les filles de pêcheurs, à dénicher et à élever des oiseaux. Je suis née d'un oiseau [1], de là, j'imagine, cette passion. Et tous les malheurs du corps humain, pourvu qu'ils aient un rapport avec les oiseaux, je les connais en détail : le corps du père rejeté par la marée au petit matin, tout rigide, avec une tête de plus en plus énorme et frissonnante car les mouettes s'assemblent pour picorer les yeux, et le corps de la mère ivre plumant vivant notre merle apprivoisé, et celui de la sœur surprise dans la haie avec l'ilote [2] de service au-dessous du nid de fauvettes en émoi. Et mon amie au chardonneret était difforme, et mon amie au bouvreuil était phtisique [3]. Et malgré ces ailes que je prêtais au genre humain, je le voyais ce [4] qu'il est, rampant, malpropre, et misérable. Mais jamais je n'ai eu le sentiment qu'il exigeait la pitié.

ANDROMAQUE. — Parce que vous ne le jugez digne que de mépris.

HÉLÈNE. — C'est à savoir. Cela peut venir aussi de ce que, tous ces malheureux, je les sens mes égaux, de ce que je les admets, de ce que, ma santé, ma beauté et ma gloire, je ne les juge pas très supérieures à leur misère. Cela peut être de la fraternité.

ANDROMAQUE. — Vous blasphémez, Hélène.

HÉLÈNE. — Les gens ont pitié des autres dans la mesure où ils auraient pitié d'eux-mêmes. Le malheur ou la laideur sont des miroirs qu'ils ne supportent pas. Je n'ai aucune pitié pour moi. Vous verrez, si la guerre éclate. Je supporte la faim, le mal, sans souffrir, mieux que vous. Et l'injure. Si vous croyez que je n'entends pas les Troyennes sur mon passage! Et elles me traitent de garce! Et elles disent que le matin j'ai l'œil jaune. C'est faux ou c'est vrai. Mais cela m'est égal, si égal!

ANDROMAQUE. — Arrêtez-vous Hélène!

HÉLÈNE. — Et si vous croyez que mon œil, dans ma collection de chromos en couleurs, comme dit votre mari, ne me montre pas parfois une Hélène vieillie [5],

---

Voir p. 31 l'index des noms : *Hélène*. — 2. Indigène de Laconie réduit en esclavage es Spartiates et forcé à l'avilissement pour en dégoûter la jeunesse. — 3. Atteinte de culose pulmonaire. — 4. Emploi, en attribut du complément d'objet *le*, du pronom nstratif au lieu de l'adjectif indéfini corrélatif *tel*. — 5. Cf. celle de Ronsard LIII).

avachie, édentée, suçotant accroupie quelque confiture dans sa cuisine! Et ce que le plâtre de mon grimage peut éclater de blancheur! Et ce que la groseille peut être rouge! Et ce que c'est coloré et sûr et certain!... Cela
170 m'est complètement indifférent.

ANDROMAQUE. — Je suis perdue...

HÉLÈNE. — Pourquoi? S'il suffit d'un couple parfait pour vous faire admettre la guerre, il y a toujours le vôtre, Andromaque.

- **Deux types de femme** (scène 8)

① **Définir la forme de « l'explication » (un affrontement loyal) et sa substance : « Le dialogue d'Hector et d'Hélène avait été celui du rêve et de la réalité [...] le dialogue d'Andromaque et d'Hélène semble celui de la valeur et de la réalité » (Ch. Mauron).**

② Étudiez en Andromaque l'exigence d'authenticité avec :
— son impression subjective d'un besoin universel d'authenticité;
— sa volonté d'approfondissement (l'entente superficielle n'est qu'un malentendu, l'attachement profond reposant dialectiquement sur le dépassement constant de désaccords inévitables);
— sa croyance en la valeur rayonnante de l'authenticité (un couple parfait pour le salut du monde; cf. *Amphitryon 38* et plus tard *Sodome et Gomorrhe*);
— sa dénonciation de l'inauthentique (dans la cause occasionnelle de la guerre, dans l'adoration moins féministe que narcissique des vieillards, dans l'indignation de pure façade chez les Grecs);
— son désir fondamental de donner un sens au destin par un artifice occasionnel (couple officiel) au lieu de découvrir les causes profondes de la guerre (révélées par Ulysse, II, 13).

③ Étudiez la nature insensible d'Hélène :
— son indifférence fondamentale à force d'indifférenciation (la fraternité par l'égalité);
— son refus de considérer le superficiel comme inférieur au substantiel et sa mise à égalité de deux types d'êtres (les indifférents et les pathétiques) et d'amour (aimantation et tendresse);
— son refus très giralducien de la pitié (cf. *Combat avec l'ange* en 1934), malgré sa connaissance lucide du malheur (mais comme loi du monde);
— son mélange aisé de l'horrible et du fantaisiste (thème de l'oiseau, l. 130, précisé lors des représentations par l'allusion au cygne de Léda);
— son assomption personnelle de soi sans apitoiement sur soi (l. 156, confirmation par sa vision colorée, l. 163-170; cf. I, 8-10);
— sa référence à l'autre couple, le *couple parfait* (l. 172).

SCÈNE NEUVIÈME

HÉLÈNE, ANDROMAQUE, OIAX, *puis* HECTOR

OIAX. — Où est-il? Où se cache-t-il? Un lâche! Un Troyen!

HECTOR. — Qui cherchez-vous?

OIAX. — Je cherche Pâris...

HECTOR. — Je suis son frère.

OIAX. — Belle famille! Je suis Oiax! Qui es-tu?

HECTOR. — On m'appelle Hector.

OIAX. — Moi je t'appelle beau-frère de pute!

HECTOR. — Je vois que la Grèce nous a envoyé des négociateurs. Que voulez-vous?

OIAX. — La guerre!

HECTOR. — Rien à espérer. Vous la voulez pourquoi?

OIAX. — Ton frère a enlevé Hélène.

HECTOR. — Elle était consentante, à ce que l'on m'a dit.

OIAX. — Une Grecque fait ce qu'elle veut. Elle n'a pas à te demander la permission. C'est un cas de guerre.

HECTOR. — Nous pouvons vous offrir des excuses.

OIAX. — Les Troyens n'offrent pas d'excuses. Nous ne partirons d'ici qu'avec votre déclaration de guerre.

HECTOR. — Déclarez-la vous-mêmes.

OIAX. — Parfaitement, nous la déclarerons, et dès ce soir.

HECTOR. — Vous mentez. Vous ne la déclarerez pas. Aucune île de l'archipel ne vous suivra si nous ne sommes pas les responsables... Nous ne le serons pas.

OIAX. — Tu ne la déclareras pas, toi, personnellement, si je te déclare que tu es un lâche?

HECTOR. — C'est un genre de déclaration que j'accepte.

OIAX. — Je n'ai jamais vu manquer à ce point de réflexe militaire!... Si je te dis ce que la Grèce entière pense de Troie, que Troie est le vice, la bêtise?...

HECTOR. — Troie est l'entêtement. Vous n'aurez pas la guerre.

35 OIAX. — Si je crache sur elle?

HECTOR. — Crachez.

OIAX. — Si je te frappe, toi son prince?

HECTOR. — Essayez.

OIAX. — Si je frappe en plein visage le symbole de sa
40 vanité et de son faux honneur?

HECTOR. — Frappez...

OIAX, *le giflant*. — Voilà... Si madame est ta femme, madame peut être fière.

HECTOR. — Je la connais... Elle est fière.

SCÈNE DIXIÈME

LES MÊMES, DEMOKOS

DEMOKOS. — Quel est ce vacarme! Que veut cet ivrogne, Hector?

HECTOR. — Il ne veut rien. Il a ce qu'il veut.

DEMOKOS. — Que se passe-t-il, Andromaque?

5 ANDROMAQUE. — Rien.

OIAX. — Deux fois rien. Un Grec gifle Hector, et Hector encaisse.

DEMOKOS. — C'est vrai, Hector?

HECTOR. — Complètement faux, n'est-ce pas, Hélène?

10 HÉLÈNE. — Les Grecs sont très menteurs. Les hommes grecs.

OIAX. — C'est de nature qu'il a une joue plus rouge que l'autre?

HECTOR. — Oui. Je me porte bien de ce côté-là.

15 DEMOKOS. — Dis la vérité, Hector. Il a osé porter la main sur toi?

HECTOR. — C'est mon affaire.

DEMOKOS. — C'est affaire de guerre. Tu es la statue même de Troie.

20 HECTOR. — Justement. On ne gifle pas les statues.

DEMOKOS. — Qui es-tu, brute? Moi, je suis Demokos, second fils d'Achichaos!

OIAX. — Second fils d'Achichaos? Enchanté. Dis-moi, cela est-il aussi grave de gifler un second fils d'Achichaos que de gifler Hector?

DEMOKOS. — Tout aussi grave, ivrogne. Je suis chef du Sénat. Si tu veux la guerre, la guerre jusqu'à la mort, tu n'as qu'à essayer.

OIAX. — Voilà... J'essaie.

Il gifle Demokos.

DEMOKOS. — Troyens! Soldats! Au secours!

HECTOR. — Tais-toi, Demokos!

DEMOKOS. — Aux armes! On insulte Troie! Vengeance!

HECTOR. — Je te dis de te taire.

DEMOKOS. — Je crierai! J'ameuterai la ville!

HECTOR. — Tais-toi!... Ou je te gifle!

DEMOKOS. — Priam! Anchise[1]! Venez voir la honte de Troie. Elle a Hector pour visage.

HECTOR. — Tiens!

Hector a giflé Demokos. Oiax s'esclaffe.

SCÈNE ONZIÈME

LES MÊMES, PRIAM ET LES NOTABLES

Pendant la scène, Priam et les notables viennent se grouper en face du passage par où doit entrer Ulysse.

PRIAM. — Pourquoi ces cris, Demokos?

DEMOKOS. — On m'a giflé.

OIAX. — Va te plaindre à Achichaos!

PRIAM. — Qui t'a giflé?

DEMOKOS. — Hector! Oiax! Hector! Oiax!

PÂRIS. — Qu'est-ce qu'il raconte? Il est fou!

HECTOR. — On ne l'a pas giflé du tout, n'est-ce pas, Hélène?

Voir p. 30-32, l'index des noms.

HÉLÈNE. — Je regardais pourtant bien, je n'ai rien vu.

10 OIAX. — Ses deux joues sont de la même couleur.

PÂRIS. — Les poètes s'agitent souvent sans raison. C'est ce qu'ils appellent leurs transes. Il va nous en sortir notre chant national.

DEMOKOS. — Tu me le paieras, Hector...

15 DES VOIX. — Ulysse. Voici Ulysse...

Oiax s'est avancé tout cordial vers Hector.

OIAX. — Bravo! Du cran. Noble adversaire. Belle gifle...

HECTOR. — J'ai fait de mon mieux.

OIAX. — Excellente méthode aussi. Coude fixe. Poignet biaisé. Grande sécurité pour carpe et métacarpe. Ta 20 gifle doit être plus forte que la mienne.

HECTOR. — J'en doute.

OIAX. — Tu dois admirablement lancer le javelot avec ce radius en fer et ce cubitus à pivot.

HECTOR. — Soixante-dix mètres [1].

25 OIAX. — Révérence! Mon cher Hector, excuse-moi. Je retire mes menaces. Je retire ma gifle. Nous avons des

1. L'auteur s'appuie, pour cette distance, non sur le record français (Deglan 61,34 m en 1928, dépassé en 1939) mais sur le record olympique du Finlan[dais] Jarvinen en 1932 (72,71 m), qui ne sera dépassé qu'en 1952.

- **Face à l'adversaire** (scènes 9 à 11)

① Analysez la montée au sublime, en dénombrant tous les outrages (nationaux, familiaux ou personnels) assumés par Hector; en commentant la valeur des impératifs qui reprennent les hypothétiques affronts (*crachez*, *essayez*, *frappez*) et du vouvoiement maintenu face au tutoiement; en dégageant l'effet produit par ce défi pacifiste sur Andromaque et même sur Hélène qui soutiennent Hector.

② Étudiez la succession d'une tension renouvelée par Demokos et d'une détente de compensation par le comique (mensonge à peine voilé, nom d'*Achichaos* — 10, l. 22 et 23 —, gag de la double gifle, puérilité du désarroi de Demokos, réponse informe et déjà coassante de ce poète, retournement de son argumentation contre lui-même, satire du poète).

③ Appréciez la relative euphorie due à la réconciliation et à l'alliance des deux militaires contre le bellicisme civil (notez le pastiche amusant et sympathique du laconisme dans le genre baderne française ou officier britannique à la Maurois).

ennemis communs, ce sont les fils d'Achichaos. Je ne me bats pas contre ceux qui ont avec moi pour ennemis les fils d'Achichaos. Ne parlons plus de guerre. Je ne 30 sais ce qu'Ulysse rumine, mais compte sur moi pour arranger l'histoire...

Il va au-devant d'Ulysse avec lequel il rentrera.

ANDROMAQUE. — Je t'aime, Hector.

HECTOR, *montrant sa joue.* — Oui. Mais ne m'embrasse pas encore tout de suite, veux-tu?

35 ANDROMAQUE. — Tu as gagné encore ce combat. Aie confiance.

HECTOR. — Je gagne chaque combat. Mais de chaque victoire l'enjeu s'envole.

SCÈNE DOUZIÈME

PRIAM, HECTOR, PÂRIS, HÉCUBE, LES TROYENS, LE GABIER, OLPIDÈS, IRIS, LES TROYENNES, ULYSSE, OIAX, ET LEUR SUITE

ULYSSE. — Priam et Hector, je pense?

PRIAM. — Eux-mêmes. Et derrière eux, Troie, et les faubourgs de Troie, et la campagne de Troie, et l'Hellespont, et ce pays comme un poing fermé qui est la Phrygie[1]. Vous êtes Ulysse?

ULYSSE. — Je suis Ulysse.

PRIAM. — Et voilà Anchise. Et derrière lui, la Thrace, le Pont, et cette main ouverte qu'est la Tauride[1].

ULYSSE. — Beaucoup de monde pour une conversation diplomatique.

PRIAM. — Et voici Hélène.

ULYSSE. — Bonjour, reine.

HÉLÈNE. — J'ai rajeuni ici, Ulysse. Je ne suis plus que princesse[1].

Voir p. 31-32 l'index des noms et celui des lieux.

15 PRIAM. — Nous vous écoutons.

OIAX. — Ulysse, parle à Priam. Moi je parle à Hector.

ULYSSE. — Priam, nous sommes venus pour reprendre Hélène.

OIAX. — Tu le comprends, n'est-ce pas Hector? Ça
20 ne pouvait pas se passer comme ça!

ULYSSE. — La Grèce et Ménélas crient vengeance.

OIAX. — Si les maris trompés ne criaient pas vengeance, qu'est-ce qu'il leur resterait?

ULYSSE. — Qu'Hélène nous soit donc rendue dans
25 l'heure même. Ou c'est la guerre.

OIAX. — Il y a les adieux à faire.

HECTOR. — Et c'est tout?

ULYSSE. — C'est tout.

OIAX. — Ce n'est pas long, tu vois, Hector?

30 HECTOR. — Ainsi, si nous vous rendons Hélène, vous nous assurez la paix.

OIAX. — Et la tranquillité.

HECTOR. — Si elle s'embarque dans l'heure, l'affaire est close.

35 OIAX. — Et liquidée.

HECTOR. — Je crois que nous allons pouvoir nous entendre, n'est-ce pas, Hélène?

HÉLÈNE. — Oui, je le pense.

ULYSSE. — Vous ne voulez pas dire qu'Hélène va
40 nous être rendue?

HECTOR. — Cela même. Elle est prête.

OIAX. — Pour les bagages, elle en aura toujours plus au retour qu'elle n'en avait au départ [1].

HECTOR. — Nous vous la rendons, et vous garantissez
45 la paix. Plus de représailles, plus de vengeance?

OIAX. — Une femme perdue, une femme retrouvée et c'est justement la même. Parfait! N'est-ce pas Ulysse?

---

1. Voir plus loin, l. 76-77.

ULYSSE. — Pardon! Je ne garantis rien. Pour que nous renoncions à toutes représailles, il faudrait qu'il n'y eût pas prétexte à représailles. Il faudrait que Ménélas retrouvât Hélène dans l'état même où elle lui fut ravie.

HECTOR. — A quoi reconnaîtra-t-il un changement?

ULYSSE. — Un mari est subtil quand un scandale mondial l'a averti. Il faudrait que Pâris eût respecté Hélène. Et ce n'est pas le cas...

LA FOULE. — Ah! non. Ce n'est pas le cas!

DES VOIX. — Pas précisément!

HECTOR. — Et si c'était le cas?

ULYSSE. — Où voulez-vous en venir, Hector?

HECTOR. — Pâris n'a pas touché Hélène. Tous deux m'ont fait leurs confidences.

ULYSSE. — Quelle est cette histoire?

HECTOR. — La vraie histoire, n'est-ce pas Hélène?

HÉLÈNE. — Qu'a-t-elle d'extraordinaire?

UNE VOIX. — C'est épouvantable! Nous sommes déshonorés!

HECTOR. — Qu'avez-vous à sourire, Ulysse? Vous voyez sur Hélène le moindre indice d'une défaillance à son devoir?

ULYSSE. — Je ne le cherche pas. L'eau sur le canard marque mieux que la souillure sur la femme.

PÂRIS. — Tu parles à une reine.

ULYSSE. — Exceptons les reines naturellement... Ainsi, Pâris, vous avez enlevé cette reine, vous l'avez enlevée nue; vous-même, je pense, n'étiez pas dans l'eau avec cuissard et armure; et aucun goût d'elle, aucun désir d'elle ne vous a saisi?

PÂRIS. — Une reine nue est couverte par sa dignité.

HÉLÈNE. — Elle n'a qu'à ne pas s'en dévêtir.

ULYSSE. — Combien a duré le voyage? J'ai mis trois jours avec mes vaisseaux, et ils sont plus rapides que les vôtres.

DES VOIX. — Quelles sont ces intolérables insultes à la marine troyenne?

UNE VOIX. — Vos vents sont plus rapides! Pas vos vaisseaux!

ULYSSE. — Mettons trois jours, si vous voulez. Où
90 était la reine, pendant ces trois jours?

PÂRIS. — Sur le pont, étendue.

ULYSSE. — Et Pâris. Dans la hune[1]?

HÉLÈNE. — Étendu près de moi.

ULYSSE. — Il lisait, près de vous? Il pêchait la dorade?

95 HÉLÈNE. — Parfois il m'éventait.

ULYSSE. — Sans jamais vous toucher?...

HÉLÈNE. — Un jour, le deuxième, il m'a baisé la main.

ULYSSE. — La main! Je vois. Le déchaînement de la brute.

100 HÉLÈNE. — J'ai cru digne de ne pas m'en apercevoir.

ULYSSE. — Le roulis ne vous a pas poussés l'un vers l'autre?... Je pense que ce n'est pas insulter la marine troyenne de dire que ses bateaux roulent...

UNE VOIX. — Ils roulent[2] beaucoup moins que les
105 bateaux grecs ne tanguent[2].

OIAX. — Tanguer, nos bateaux grecs! S'ils ont l'air de tanguer c'est à cause de leur proue surélevée et de leur arrière qu'on évide!...

UNE VOIX. — Oh! oui! La face arrogante et le cul plat,
110 c'est tout grec...

ULYSSE. — Et les trois nuits? Au-dessus de votre couple, les étoiles ont paru et disparu trois fois. Rien ne vous est demeuré, Hélène, de ces trois nuits?

HÉLÈNE. — Si... Si! J'oubliais! Une bien meilleure
115 science des étoiles.

ULYSSE. — Pendant que vous dormiez, peut-être... il vous a prise...

HÉLÈNE. — Un moucheron m'éveille...

---

1. Plate-forme arrondie sise sur les vergues des mâts de voiliers. — 2. Se balancer nativement, d'un bord sur l'autre *(rouler)*, de l'avant et de l'arrière *(tanguer)*.

HECTOR. — Tous deux vous le jureront, si vous voulez, sur votre [1] déesse Aphrodite.

ULYSSE. — Je leur en fais grâce. Je la connais, Aphrodite! Son serment favori c'est le parjure... Curieuse histoire, et qui va détruire dans l'Archipel l'idée qu'il [2] y avait des Troyens.

PÂRIS. — Que pensait-on, des Troyens, dans l'Archipel?

ULYSSE. — On les y croit moins doués que nous pour le négoce, mais beaux et irrésistibles. Poursuivez vos confidences, Pâris. C'est une intéressante contribution à la physiologie. Quelle raison a bien pu vous pousser à respecter Hélène quand vous l'aviez à merci?...

PÂRIS. — Je... je l'aimais.

HÉLÈNE. — Si vous ne savez pas ce que c'est que l'amour, Ulysse, n'abordez pas ces sujets-là.

ULYSSE. — Avouez, Hélène, que vous ne l'auriez pas suivi, si vous aviez su que les Troyens sont impuissants...

UNE VOIX. — C'est une honte!

UNE VOIX. — Qu'on le musèle.

[*Portés par cette vague d'indignation chauvine, deux gabiers de Pâris révèlent alors lestement le comportement amoureux physique du couple princier, puis son comportement affectif.*]

OLPIDÈS. — Elle l'a appelé sa perruche, sa chatte.

LE GABIER. — Lui son puma, son jaguar. Ils intervertissaient les sexes. C'est de la tendresse. C'est bien connu.

OLPIDÈS. — Tu es mon hêtre, disait-elle aussi. Je t'étreins juste comme un hêtre, disait-elle... Sur la mer on pense aux arbres.

LE GABIER. — Et toi mon bouleau, lui disait-il, mon bouleau frémissant! Je me rappelle bien le mot bouleau. C'est un arbre russe.

---

[1] ...nportance du possessif : pour Pâris, ce n'est pas « sa » déesse, mais pour Hélène? ...otivation du serment ne sera pas la même. — 2. Tour singulier; le pronom attendu ... : *on*.

150 OLPIDÈS. — Et j'ai dû rester jusqu'à la nuit dans la hune. On a faim et soif là-haut. Et le reste.

LE GABIER. — Et quand ils se désenlaçaient, ils se léchaient du bout de la langue, parce qu'ils se trouvaient salés.

155 OLPIDÈS. — Et quand ils se sont mis debout, pour aller enfin se coucher, ils chancelaient...

LE GABIER. — Et voilà ce qu'elle aurait eu, ta Pénélope, avec cet impuissant.

DES VOIX. — Bravo! Bravo!

160 UNE VOIX DE FEMME. — Gloire à Pâris!

UN HOMME JOVIAL. — Rendons à Pâris ce qui revient à Pâris!

HECTOR. — Ils mentent, n'est-ce pas, Hélène?

ULYSSE. — Hélène écoute, charmée.

165 HÉLÈNE. — J'oubliais qu'il s'agissait de moi. Ces hommes ont de la conviction.

ULYSSE. — Ose dire qu'ils mentent, Pâris?

PÂRIS. — Dans les détails, quelque peu.

LE GABIER. — Ni dans le gros ni dans les détails.
170 N'est-ce pas, Olpidès! Vous contestez vos expressions d'amour, commandant? Vous contestez le mot puma?

PÂRIS. — Pas spécialement le mot puma!...

LE GABIER. — Le mot bouleau, alors? Je vois. C'est le
mot bouleau frémissant qui vous offusque. Tant pis,
175 vous l'avez dit. Je jure que vous l'avez dit, et d'ailleurs
il n'y a pas à rougir du mot bouleau. J'en ai vu, des
bouleaux frémissants, l'hiver, le long de la Caspienne
et, sur la neige, avec leurs bagues d'écorce noire qu
semblaient séparées par le vide, on se demandait c
180 qui portait les branches. Et j'en ai vu en plein été, dan
le chenal près d'Astrakhan, avec leurs bagues blanche
comme celles des bons champignons, juste au bord d
l'eau, mais aussi dignes que le saule est mollasse. E
quand vous avez dessus un de ces gros corbeaux gris e
185 noir, tout l'arbre tremble, plie à casser, et je lui lançai
des pierres jusqu'à ce qu'il s'envolât, et toutes le
feuilles alors me parlaient et me faisaient signe. Et

les voir frissonner, en or par-dessus, en argent par-dessous, vous vous sentez le cœur plein de tendresse! Moi, j'en aurais pleuré, n'est-ce pas, Olpidès! Voilà ce que c'est qu'un bouleau!

LA FOULE. — Bravo! Bravo!

UN AUTRE MARIN. — Et il n'y a pas que le gabier et Olpidès qui les aient vus, Priam. Du soutier [1] à l'enseigne [2], nous étions tous ressortis du navire par les hublots, et tous, cramponnés à la coque, nous regardions par-dessous la lisse. Le navire n'était qu'un instrument à voir.

UN TROISIÈME MARIN. — A voir l'amour.

ULYSSE. — Et voilà, Hector!

HECTOR. — Taisez-vous tous.

LE GABIER. — Tiens, fais taire celle-là!

Iris apparaît dans le ciel.

LE PEUPLE. — Iris! Iris!

PÂRIS. — C'est Aphrodite qui t'envoie?

IRIS. — Oui, Aphrodite; elle me charge de vous dire que l'amour est la loi du monde [3]. Que tout ce qui double l'amour devient sacré, que ce soit le mensonge, l'avarice, ou la luxure. Que tout amoureux, elle le prend sous sa garde, du roi au berger en passant par l'entremetteur. J'ai bien dit : l'entremetteur. S'il en est un ici, qu'il soit salué. Et qu'elle vous interdit à vous deux, Hector et Ulysse, de séparer Pâris d'Hélène. Ou il y aura la guerre.

PÂRIS, LES VIEILLARDS. — Merci, Iris!

HECTOR. — Et de Pallas aucun message?

IRIS. — Oui, Pallas me charge de vous dire que la raison est la loi du monde. Tout être amoureux, vous fait-elle dire, déraisonne. Elle vous demande de lui

---

Matelot chargé des magasins de la cale ou de l'entrepont. — 2. Officier de marine ›ssous du lieutenant). — 3. Cf. Sophocle, *Antigone*, vers 796-800 (traduction Marcel ›ortes, Bordas, p. 84) :

> Le désir de la douce couche
> d'une jeune fille s'élève
> au rang des grandes lois du Monde;
> et sans combat tout cède aux jeux
> de la déesse Aphrodita.

avouer franchement s'il y a plus bête que le coq sur la poule ou la mouche sur la mouche. Elle n'insiste pas. Et elle vous ordonne, à vous Hector et vous Ulysse, de séparer Hélène de ce Pâris à poil frisé. Ou il y aura la guerre...

HECTOR, LES FEMMES. — Merci, Iris!

PRIAM. — Ô mon fils, ce n'est ni Aphrodite ni Pallas qui règle l'univers. Que nous commande Zeus dans cette incertitude?

IRIS. — Zeus, le maître des dieux, vous fait dire que ceux qui ne voient que l'amour dans le monde sont aussi bêtes que ceux qui ne le voient pas. La sagesse, vous fait dire Zeus, le maître des dieux, c'est tantôt de faire l'amour et tantôt de ne pas le faire. Les prairies semées de coucous et de violettes, à son humble et impérieux avis, sont aussi douces à ceux qui s'étendent l'un sur l'autre qu'à ceux qui s'étendent l'un près de

---

- **Une ambassade mal engagée** (scène 12)

① Dégagez la mise en forme du début (jusqu'à la ligne 48) :
— les mondanités avec les présentations des personnes, doublées par celles des pays (environnement proche, puis ouverture vers l'horizon), et l'impression de solennité et d'opulence (sauf l'ironie d'Ulysse et le jeu précieux d'Hélène);
— l'ambassade en partie double, Oiax paraphrasant Ulysse, puis Hector, avec grossissement (bonne volonté) et comique progressif.

② Analysez le comique dans :
— l'argumentation paradoxale (l'invraisemblable chasteté) démentant l'évidence (cf. déjà la gifle, sc. 10-11), malgré le réactions chauvines populaires (performances nautiques o amoureuses) que vise à provoquer Ulysse par son ironie blessante;
— le scepticisme d'Ulysse (précisez);
— les divers anachronismes (termes nautiques du XVIIe a XIXe s.: *cuissard* est médiéval d'origine, l. 78; *rendons à Pâris c qui revient à Pâris*, l. 161, démarque l'Évangile) et traits leste (plus nombreux dans le texte primitif).

③ Appréciez le merveilleux (Iris; cf. la Paix, I, 10) scénique mais démystifié par la contradiction externe des déesses, intern de Zeus; par le contraste entre les lapalissades finales et le to pompeux du message; par le gag final (la *grande écharpe*, l. 246-4 = l'arc-en-ciel) et la réduction à la coquetterie féminine voyez-y aussi un moyen d'amener l'entrevue décisive des deu chefs seul à seul.

l'autre, soit qu'ils lisent, soit qu'ils soufflent sur la sphère aérée du pissenlit, soit qu'ils pensent au repas du soir ou à la république. Il s'en rapporte donc à Hector et à Ulysse pour que l'on sépare Hélène et Pâris tout en ne les séparant pas. Il ordonne à tous les autres de s'éloigner, et de laisser face à face les négociateurs. Et que ceux-là s'arrangent pour qu'il n'y ait pas la guerre. Ou alors, il vous le jure et il n'a jamais menacé en vain, il vous jure qu'il y aura la guerre.

HECTOR. — A vos ordres, Ulysse!

ULYSSE. — A vos ordres.

Tous se retirent. On voit une grande écharpe se former dans le ciel.

HÉLÈNE. — C'est bien elle. Elle a oublié sa ceinture à mi-chemin.

SCÈNE TREIZIÈME

ULYSSE, HECTOR

HECTOR. — Et voilà le vrai combat, Ulysse.

ULYSSE. — Le combat d'où sortira ou ne sortira pas la guerre, oui.

HECTOR. — Elle en sortira?

ULYSSE. — Nous allons le savoir dans cinq minutes.

HECTOR. — Si c'est un combat de paroles, mes chances sont faibles.

ULYSSE. — Je crois que cela sera plutôt une pesée. Nous avons vraiment l'air d'être chacun sur le plateau d'une balance. Le poids parlera...

HECTOR. — Mon poids? Ce que je pèse, Ulysse? Je pèse un homme jeune, une femme jeune, un enfant à naître. Je pèse la joie de vivre, la confiance de vivre, l'élan vers ce qui est juste et naturel.

ULYSSE. — Je pèse l'homme adulte, la femme de trente ans, le fils que je mesure chaque mois avec des encoches,

contre le chambranle[1] du palais... Mon beau-père prétend que j'abîme la menuiserie... Je pèse la volupté de
vivre et la méfiance de la vie.

20 HECTOR. — Je pèse la chasse, le courage, la fidélité,
l'amour.

ULYSSE. — Je pèse la circonspection devant les dieux,
les hommes, et les choses.

HECTOR. — Je pèse le chêne phrygien, tous les chênes
25 phrygiens feuillus et trapus, épars sur nos collines avec
nos bœufs frisés.

ULYSSE. — Je pèse l'olivier.

HECTOR. — Je pèse le faucon, je regarde le soleil en face.

ULYSSE. — Je pèse la chouette.

30 HECTOR. — Je pèse tout un peuple de paysans débon-
naires, d'artisans laborieux, de milliers de charrues, de
métiers à tisser, de forges et d'enclumes... Oh! pourquoi,
devant vous, tous ces poids me paraissent-ils tout à coup
si légers!

35 ULYSSE. — Je pèse ce que pèse cet air incorruptible et
impitoyable sur la côte et sur l'archipel.

HECTOR. — Pourquoi continuer? la balance s'incline.

ULYSSE. — De mon côté?... Oui, je le crois.

HECTOR. — Et vous voulez la guerre?

40 ULYSSE. — Je ne la veux pas. Mais je suis moins sûr de
ses intentions à elle.

HECTOR. — Nos peuples nous ont délégués tous deux
ici pour la conjurer. Notre seule réunion signifie que rien
n'est perdu...

45 ULYSSE. — Vous êtes jeune, Hector!... A la veille de
toute guerre, il est courant que deux chefs des peuples
en conflit se rencontrent seuls dans quelque innocent
village, sur la terrasse au bord d'un lac[2], dans l'angle
d'un jardin. Et ils conviennent que la guerre est le pire
50 fléau du monde, et tous deux, à suivre du regard ces
reflets et ces rides sur les eaux, à recevoir sur l'épaule ces

---

1. Encadrement d'une porte ou fenêtre — 2. On pense à l'entrevue de Stresen
et de Briand à Locarno, sur le lac Majeur, en 1925. Giraudoux écrit en 1935; q
ans plus tard la seconde guerre mondiale commencera : voir la ligne 61.

pétales de magnolias, ils sont pacifiques, modestes, loyaux. Et ils s'étudient. Ils se regardent. Et, tiédis par le soleil, attendris par un vin clairet, ils ne trouvent dans le visage d'en face aucun trait qui justifie la haine, aucun trait qui n'appelle l'amour humain, et rien d'incompatible non plus dans leurs langages, dans leur façon de se gratter le nez ou de boire. Et ils sont vraiment combles de paix, de désirs de paix. Et ils se quittent en se serrant les mains, en se sentant des frères. Et ils se retournent de leur calèche pour se sourire... Et le lendemain pourtant éclate la guerre. Ainsi nous sommes tous deux maintenant... Nos peuples autour de l'entretien se taisent et s'écartent, mais ce n'est pas qu'ils attendent de nous une victoire sur l'inéluctable. C'est seulement qu'ils nous ont donné pleins pouvoirs, qu'ils nous ont isolés, pour que nous goûtions mieux, au-dessus de la catastrophe, notre fraternité d'ennemis. Goûtons-la. C'est un plat de riches. Savourons-la... Mais c'est tout. Le privilège des grands, c'est de voir les catastrophes d'une terrasse.

HECTOR. — C'est une conversation d'ennemis que nous avons là?

ULYSSE. — C'est un duo avant l'orchestre. C'est le duo des récitants avant la guerre. Parce que nous avons été créés sensés, justes et courtois, nous nous parlons, une heure avant la guerre, comme nous nous parlerons longtemps après, en anciens combattants. Nous nous réconcilions avant la lutte même, c'est toujours cela. Peut-être d'ailleurs avons-nous tort. Si l'un de nous doit un jour tuer l'autre et arracher pour reconnaître sa victime la visière de son casque, il vaudrait peut-être mieux qu'il ne lui donnât pas un visage de frère... Mais l'univers le sait, nous allons nous battre.

HECTOR. — L'univers peut se tromper. C'est à cela qu'on reconnaît l'erreur, elle est universelle.

ULYSSE. — Espérons-le. Mais quand le destin, depuis des années, a surélevé deux peuples, quand il leur a ouvert le même avenir d'invention et d'omnipotence, quand il a fait de chacun, comme nous l'étions tout à l'heure sur la bascule, un poids précieux et différent pour peser le plaisir, la conscience et jusqu'à la nature, quand par leurs architectes, leurs poètes, leurs teinturiers, il leur a donné

à chacun un royaume opposé de volumes, de sons et de
nuances, quand il leur a fait inventer le toit en charpente
95 troyen et la voûte thébaine [1], le rouge phrygien et l'indigo grec [2], l'univers sait bien qu'il n'entend pas préparer
ainsi aux hommes deux chemins de couleur et d'épanouissement, mais se ménager son festival, le déchaînement de
cette brutalité et de cette folie humaines qui seules ras-
100 surent les dieux. C'est de la petite politique, j'en conviens.
Mais nous sommes chefs d'État, nous pouvons bien entre
nous deux le dire : c'est couramment celle du Destin.

HECTOR. — Et c'est Troie et c'est la Grèce qu'il a
choisies cette fois?

105 ULYSSE. — Ce matin j'en doutais encore. J'ai posé le
pied sur votre estacade, et j'en suis sûr.

HECTOR. — Vous vous êtes senti sur un sol ennemi?

ULYSSE. — Pourquoi toujours revenir à ce mot ennemi!
Faut-il vous le redire? Ce ne sont pas les ennemis natu-
110 rels qui se battent. Il est des peuples que tout désigne
pour une guerre, leur peau, leur langue et leur odeur, ils
se jalousent, ils se haïssent, ils ne peuvent pas se sentir...
Ceux-là ne se battent jamais. Ceux qui se battent, ce
sont ceux que le sort a lustrés et préparés pour une
115 même guerre : ce sont les adversaires.

HECTOR. — Et nous sommes prêts pour la guerre
grecque?

ULYSSE. — A un point incroyable. Comme la nature
munit les insectes dont elle prévoit la lutte, de faiblesses
120 et d'armes qui se correspondent, à distance, sans que
nous nous connaissions, sans que nous nous en doutions,
nous nous sommes élevés tous deux au niveau de notre
guerre. Tout correspond de nos armes et de nos habitudes
comme des roues à pignon. Et le regard de vos femmes,
125 et le teint de vos filles sont les seuls qui ne suscitent en
nous ni la brutalité ni le désir, mais cette angoisse du
cœur et de la joie qui est l'horizon de la guerre. Fron-

---

1. Ici est opposée la couverture des édifices soit avec soutènement par un assemb
de poutres, soit avec maçonnerie par un assemblage cintré de pierres s'appuyant l'une
l'autre. — 2. Si le *rouge* était la couleur du bonnet *phrygien*, l'*indigo* est une couleur orie
importée en Europe vers le XVIe s.

tons et leurs soutaches[1] d'ombre et de feu, hennissements des chevaux, péplums[2] disparaissant à l'angle
130 d'une colonnade, le sort a tout passé chez vous à cette couleur d'orage qui m'impose pour la première fois le relief de l'avenir. Il n'y a rien à faire. Vous êtes dans la lumière de la guerre grecque.

HECTOR. — Et c'est ce que pensent aussi les autres
35 Grecs?

ULYSSE. — Ce qu'ils pensent n'est pas plus rassurant. Les autres Grecs pensent que Troie est riche, ses entrepôts magnifiques, sa banlieue fertile. Ils pensent qu'ils sont à l'étroit sur du roc. L'or de vos temples, celui de
40 vos blés et de votre colza, ont fait à chacun de nos navires, de nos promontoires, un signe qu'il n'oublie pas. Il n'est pas très prudent d'avoir des dieux et des légumes trop dorés.

HECTOR. — Voilà enfin une parole franche... La Grèce
45 en nous s'est choisi une proie. Pourquoi alors une déclaration de guerre? Il était plus simple de profiter de mon absence pour bondir sur Troie. Vous l'auriez eue sans coup férir.

ULYSSE. — Il est une espèce de consentement à la guerre
0 que donne seulement l'atmosphère, l'acoustique et l'humeur du monde. Il serait dément d'entreprendre une guerre sans l'avoir. Nous ne l'avions pas.

HECTOR. — Vous l'avez maintenant!

ULYSSE. — Je crois que nous l'avons.

HECTOR. — Qui vous l'a donnée contre nous? Troie est réputée pour son humanité, sa justice, ses arts!

ULYSSE. — Ce n'est pas par des crimes qu'un peuple se met en situation fausse avec son destin, mais par des fautes. Son armée est forte, sa caisse abondante, ses poètes en plein fonctionnement. Mais un jour, on ne sait pourquoi, du fait que ses citoyens coupent méchamment les arbres, que son prince enlève vilainement une femme, que ses enfants adoptent une mauvaise turbulence, il est

1. Tresses de galon ornant des uniformes. Ici, les frises éclairées par le soleil couchant.
2. Manteaux féminins antiques, sans manches.

perdu. Les nations, comme les hommes, meurent d'im-
165 perceptibles impolitesses. C'est à leur façon d'éter-
nuer ou d'éculer leurs talons que se reconnaissent les
peuples condamnés... Vous avez sans doute mal enlevé
Hélène...

HECTOR. — Vous voyez la proportion entre le rapt d'une
170 femme et la guerre où l'un de nos peuples périra?

ULYSSE. — Nous parlons d'Hélène. Vous vous êtes
trompés sur Hélène. Pâris et vous. Depuis quinze ans je
la connais, je l'observe. Il n'y a aucun doute. Elle est une
des rares créatures que le destin met en circulation sur la
175 terre pour son usage personnel. Elles n'ont l'air de rien.
Elles sont parfois une bourgade, presque un village, une
petite reine, presque une petite fille, mais si vous les touchez, prenez garde! C'est là la difficulté de la vie, de
distinguer, entre les êtres et les objets, celui qui est l'otage
180 du destin. Vous ne l'avez pas distingué. Vous pouviez
toucher impunément à nos grands amiraux, à nos rois.
Pâris pouvait se laisser aller sans danger dans les lits de
Sparte ou de Thèbes, à vingt généreuses étreintes. Il a
choisi le cerveau le plus étroit, le cœur le plus rigide,
185 le sexe le plus étroit... Vous êtes perdus.

HECTOR. — Nous vous rendons Hélène.

ULYSSE. — L'insulte au destin ne comporte pas la
restitution.

HECTOR. — Pourquoi discuter alors! Sous vos paroles,
190 je vois enfin la vérité. Avouez-le. Vous voulez nos riches-
ses! Vous avez fait enlever Hélène pour avoir à la guerre
un prétexte honorable! J'en rougis pour la Grèce. Elle
en sera éternellement responsable et honteuse.

ULYSSE. — Responsable et honteuse? Croyez-vous!
195 Les deux mots ne s'accordent guère. Si nous nous savions
vraiment responsables de la guerre, il suffirait à notre
génération actuelle de nier et de mentir pour assurer la
bonne foi et la bonne conscience de toutes nos généra-
tions futures [1]. Nous mentirons. Nous nous sacrifierons.

200 HECTOR. — Eh bien, le sort en est jeté, Ulysse! Va pour
la guerre! A mesure que j'ai plus de haine pour elle, il me

1. Cf. le *Discours de l'histoire*, prononcé au lycée Louis-le-Grand par Valéry en 19

vient d'ailleurs un désir plus incoercible de tuer... Partez, puisque vous me refusez votre aide...

ULYSSE. — Comprenez-moi, Hector!... Mon aide vous est acquise. Ne m'en veuillez pas d'interpréter le sort. J'ai voulu seulement lire dans ces grandes lignes que sont, sur l'univers, les voies des caravanes, les chemins des navires, le tracé des grues volantes et des races. Donnez-moi votre main. Elle aussi a ses lignes. Mais ne cherchons pas si leur leçon est la même. Admettons que les trois petites rides au fond de la main d'Hector disent le contraire de ce qu'assurent les fleuves, les vols et les sillages. Je suis curieux de nature, et je n'ai pas peur. Je veux bien aller contre le sort. J'accepte Hélène. Je la rendrai à Ménélas. Je possède beaucoup plus d'éloquence qu'il n'en faut pour faire croire un mari à la vertu de sa femme. J'amènerai même Hélène à y croire elle-même. Et je pars à l'instant, pour éviter toute surprise. Une fois au navire, peut-être risquons-nous de déjouer la guerre.

HECTOR. — Est-ce là la ruse d'Ulysse, ou sa grandeur?

ULYSSE. — Je ruse en ce moment contre le destin, non contre vous. C'est mon premier essai et j'y ai plus de mérite. Je suis sincère, Hector... Si je voulais la guerre, je ne vous demanderais pas Hélène, mais une rançon qui vous est plus chère... Je pars... Mais je ne peux me défendre de l'impression qu'il est bien long, le chemin qui va de cette place à mon navire.

HECTOR. — Ma garde vous escorte.

ULYSSE. — Il est long comme le parcours officiel des rois en visite quand l'attentat menace[1]... Où se cachent les conjurés? Heureux nous sommes, si ce n'est pas dans le ciel même... Et le chemin d'ici à ce coin du palais est long... Et long mon premier pas... Comment va-t-il se faire, mon premier pas... entre tous ces périls?... Vais-je glisser et me tuer?... Une corniche va-t-elle s'effondrer sur moi de cet angle? Tout est maçonnerie neuve ici, et j'attends la pierre croulante... Du courage... Allons-y.

Il fait un premier pas.

. On pense à l'attentat dont à Marseille, en 1934, furent victimes L. Barthou et le roi Yougoslavie. *La Guerre de Troie* est de 1935.

HECTOR. — Merci, Ulysse.

240 ULYSSE. — Le premier pas va... Il en reste combien?

HECTOR. — Quatre cent soixante.

ULYSSE. — Au second! Vous savez ce qui me décide à partir, Hector...

HECTOR. — Je le sais. La noblesse.

245 ULYSSE. — Pas précisément... Andromaque a le même battement de cils que Pénélope.

• **L'entrevue** (scène 13)

① Rappelez l'arrière-plan historique contemporain de la pièce (Briand et Stresemann en négociation générale sur le lac de Locarno en 1925, entrevue isolée à Thoiry en 1926).

② Appréciez l'épisode de la *pesée* (l. 8-38) :
— le « vrai combat » (négociation de la dernière chance, mais loyale, sans arguties ni manipulation de foule);
— le parallélisme formel et rhétorique, avec une disparité paradoxale (le plus laconique, Ulysse, fait triompher l'impondérable sur l'abondance verbale, opulente et généreuse, d'Hector);
— la valeur symbolique, traditionnelle (*olivier*, l. 27, *chouette* l. 29) ou non, des poids mis dans la balance;
— la portée seulement relative, le vainqueur, Ulysse, n'étant pas belliciste.

③ Analysez les leçons d'Ulysse (lucidité didactique, vision tolstoïenne et scepticisme diplomatique, face aux réactions encore juvéniles d'Hector, soit affectives, soit sophistiques), portant sur :
— l'impuissance des hommes, le pouvoir des chefs réduit au constat, l'insuffisance du manque de haine, le rôle accessoire de la cupidité, l'inadaptation de la morale, l'importance méconnue de la politique intérieure (cf. *Pleins Pouvoirs*), la valeur significative du petit détail (*imperceptibles impolitesses*, l. 164); subsistent comme ressorts la curiosité et la solidarité humaine affective (situation des deux époux);
— la toute-puissance du destin avec la mise en situation des nations adverses (complémentaires plus qu'incompatibles), un ordre du monde visant à rassurer les dieux aux dépens des hommes, une causalité insaisissable (*lumière*, l. 133) sous-jacente à l'économie ou à la morale et révélée dans les petits traits de mœurs, enfin une orientation générale (facile à adopter, mais Ulysse partagera avec Hector la tentation prométhéenne de résister au destin, ou du moins de l'éluder).

④ Étudiez la valeur littéraire de ces leçons : qualité du style, art de la tirade, clarté des vues, beauté des images, finesse des causes dégagées (expliquez le rôle du *battement de cils* de *Pénélope*, l. 246).

SCÈNE QUATORZIÈME

ANDROMAQUE, CASSANDRE, HECTOR
ABNÉOS, *puis* OIAX, *puis* DEMOKOS

HECTOR. — Tu étais là, Andromaque?

ANDROMAQUE. — Soutiens-moi. Je n'en puis plus!

HECTOR. — Tu nous écoutais?

ANDROMAQUE. — Oui. Je suis brisée.

5 HECTOR. — Tu vois qu'il ne nous faut pas désespérer...

ANDROMAQUE. — De nous peut-être. Du monde, oui... Cet homme est effroyable. La misère du monde est sur moi.

HECTOR. — Une minute encore, et Ulysse est à son
10 bord... Il marche vite. D'ici l'on suit son cortège. Le voilà déjà en face des fontaines. Que fais-tu?

ANDROMAQUE. — Je n'ai plus la force d'entendre. Je me bouche les oreilles. Je n'enlèverai pas mes mains avant que notre sort soit fixé...

15 HECTOR. — Cherche Hélène, Cassandre!

Oiax entre sur la scène, de plus en plus ivre. Il voit Andromaque de dos.

CASSANDRE. — Ulysse vous attend au port, Oiax. On vous y conduit Hélène.

OIAX. — Hélène! Je me moque d'Hélène! C'est celle-là que je veux tenir dans mes bras.

CASSANDRE. — Partez, Oiax. C'est la femme d'Hector.

OIAX. — La femme d'Hector! Bravo! J'ai toujours préféré les femmes de mes amis, de mes vrais amis!

CASSANDRE. — Ulysse est déjà à mi-chemin... Partez.

OIAX. — Ne te fâche pas. Elle se bouche les oreilles. Je peux donc tout lui dire, puisqu'elle n'entendra pas. Si je la touchais, si je l'embrassais, évidemment! Mais des paroles qu'on n'entend pas, rien de moins grave.

CASSANDRE. — Rien de plus grave. Allez, Oiax!

OIAX, *pendant que Cassandre essaie par la force de*
30 *l'éloigner d'Andromaque et que Hector lève peu à peu son javelot*[1]. — Tu crois? Alors autant la toucher. Autant l'embrasser. Mais chastement!... Toujours chastement, les femmes des vrais amis! Qu'est-ce qu'elle a de plus chaste, ta femme, Hector, le cou? Voilà pour le cou...
35 L'oreille aussi m'a un gentil petit air tout à fait chaste! Voilà pour l'oreille... Je vais te dire, moi, ce que j'ai toujours trouvé de plus chaste dans la femme... Laisse-moi!... Laisse-moi!... Elle n'entend pas les baisers non plus... Ce que tu es forte!... Je viens... Je viens... Adieu.
40 *(Il sort)*.

Hector baisse imperceptiblement son javelot. A ce moment Demokos fait irruption.

DEMOKOS. — Quelle est cette lâcheté? Tu rends Hélène? Troyens, aux armes! On nous trahit... Rassemblez-vous... Et votre chant de guerre est prêt! Écoutez votre chant de guerre!

45 HECTOR. — Voilà pour ton chant de guerre

DEMOKOS, *tombant*. — Il m'a tué!

HECTOR. — La guerre n'aura pas lieu, Andromaque!

Il essaie de détacher les mains d'Andromaque qui résiste, les yeux fixés sur Demokos. Le rideau qui avait commencé à tomber se relève peu à peu.

ABNÉOS. — On a tué Demokos! Qui a tué Demokos?

DEMOKOS. — Qui m'a tué?... Oiax!... Oiax!... Tuez-le!

50 ABNÉOS. — Tuez Oiax!

HECTOR. — Il ment. C'est moi qui l'ai frappé.

DEMOKOS. — Non. C'est Oiax...

ABNÉOS. — Oiax a tué Demokos... Rattrapez-le... Châtiez-le!

---

1. Indication scénique d'une grande valeur psychologique et philosophique.

55 HECTOR. — C'est moi, Demokos, avoue-le! Avoue-le, ou je t'achève!

DEMOKOS. — Non, mon cher Hector, mon bien cher Hector. C'est Oiax! Tuez Oiax!

CASSANDRE. — Il meurt, comme il a vécu, en coassant [1].

60 ABNÉOS. — Voilà... Ils tiennent Oiax... Voilà. Ils l'ont tué!

HECTOR *détachant les mains d'Andromaque.* — Elle aura lieu.

Les portes de la guerre s'ouvrent lentement. Elles découvrent Hélène qui embrasse Troïlus.

CASSANDRE. — Le poète troyen est mort... La parole
65 est au poète grec [2].

Le rideau tombe définitivement.

---

1. Cf. chez Aristophane le chœur des *Grenouilles :* « Brékékékex koax koax ». — L'auteur de l'*Iliade*, où se trouve chantée la guerre de Troie « qui a eu lieu ».

- **La marche au destin** (scène 14)

① Dégagez le lien de cette scène avec la fin de la précédente (où s'enclenchent le premier pas d'Ulysse et le suspens).

② Commentez les attitudes de Cassandre et Andromaque, adoptées par rapport à Hector (inverses de ce qu'elles étaient avant; précisez).

③ Étudiez l'alternance d'espoir et de crainte entretenant le suspens jusqu'au strict moment du dénouement (expliquez le jeu du rideau, l. 47 et suiv.).

④ Appréciez le mélange des registres, soit simultané (Oiax fait du vaudeville, mais tragique pour les autres), soit alterné (contrepoint spirituel de Cassandre sur la fin).

7

Scène Quatrième.

Demokos. Pâris. [Hécube] La petite Polyxène. Abneos. Le Géomètre. Les deux vieillards.

Hécube — Enfin, vous allez nous la fermer, cette porte ?

Demokos — Hector le veut. Mais il a tort. Nous pouvons aussi à la rouvrir dans dix minutes. Priam va décider.

La petite Polyxène — Où mène-t-elle, la porte, maman ?

Abneos — À la guerre, mon enfant. Quand elle est ouverte, c'est qu'il y a la guerre.

Demokos — Mes amis...

Hécube — Guerre ou non, votre symbole est stupide. Cela fait tellement peu soigné, ces deux battants toujours ouverts.

Demokos — Il ne s'agit pas de ménage. Il s'agit de la guerre et des dieux.

Hécube — C'est bien ce que je dis, les dieux ne savent pas fermer leurs

COLL. JEAN-PIERRE GIRAUDO

ÉTUDE DE LA PIÈCE

Structure et mouvement Cette pièce en deux actes (comme le seront *Électre*, *Sodome et Gomorrhe*, *la Folle de Chaillot* — et comme l'était en fait, selon M. Cellier, *Amphitryon 38* sous l'apparent découpage en trois actes) évoque (dans sa version définitive, on l'a vu), par l'acte premier, l'atmosphère de Troie et les données du problème de la guerre, par le second les actions qui en découleront.

Des symétries de détail se manifestent aussi : entre la première réplique et l'avant-dernière (qui la dément); entre l'annonce d'Hector comme agent du destin (I, 1) et son geste final (II, 14); entre le dernier mot de l'acte I et celui de l'acte II, tous deux confiés à Cassandre (qui avait ouvert la pièce avec Andromaque); entre l'apparition surnaturelle de la Paix (I, 10) et celle d'Iris (II, 12); entre l'idylle entamée par Hélène avec Troïlus (II, 1) et leur baiser final (II, 14); entre la fermeture des portes (II, 5) et leur réouverture finale (II, 14); entre le scepticisme de Cassandre (I, 1) ou d'Hélène (I, 9) et leur engagement aux côtés d'Hector (Hélène : II, 10 à 12; Cassandre : II, 14). On notera la convergence de la plupart de ces effets vers la scène finale, qui dans sa brièveté regorge de substance.

Le mouvement du premier acte fait se succéder le groupe de scènes 1 à 3 qui tourne autour de la guerre, le groupe de scènes 4 à 6 axé sur le culte de la féminité, et le groupe de scènes 7 à 10 qui nous fait découvrir la personnalité d'Hélène et l'anémie de la Paix.

Le mouvement du deuxième acte présente avec les scènes 1 à 3 une sorte d'intermède autour d'Hélène, avec les scènes 4 et 5 le bellicisme et le pacifisme, avec les scènes 6 à 8 divers aspects d'Hélène, et avec les scènes 9 à 14 les affrontements alternés : provocations (sc. 9 à 11), négociations (sc. 12 et 13), provocations et catastrophe (sc. 14).

Dans les deux actes, on constate qu'autour des scènes longues (I : 3 + 4, 6, 8 + 9; II : 4 + 5, 8, 12 + 13) se glissent des scènes brèves de transition, isolées à l'acte I (sc. 2, 5, 7), mais accumulées à l'acte II (sc. 1 à 3, 6 et 7, 9 à 11). Leur effet, généralement de détente, peut être de tension (II, 9 à 11). Ce dernier détail montre que l'on change de tempo et de rythme sur la fin de la pièce : au lieu de l'alternance des temps forts (I : 1, 3 + 4, 6, 8 + 9 et II : 4 + 5, 8) et faibles (le reste),

à partir de II, 9 la montée des périls se fait continue, et ent
les derniers temps forts (II, 12 + 13 et 14), il n'y a plus
temps faible.

Dans cette pièce toute en dialogues majeurs (I : 1, 3, 4, 6,
et II : 4, 5, 8, 12, 13), l'animation scénique se fait par quelqu
rires collectifs (I, 4), des mouvements et des gestes (I, 5
II, 9 à 11) et deux apparitions (I, 10 et II, 12).

Mais, sur l'ensemble des deux actes, le mouvement géné
est, pour Hector, celui d'une course d'obstacles; il se heu
d'abord (I, 4) à Pâris qui finit par s'en remettre à Pria
puis aux bellicistes (annoncés I, 4 et actifs I, 6), mais Pri
s'en remet à Hélène; puis (I, 7 à 9) à Hélène avec alterna
de difficultés et d'apparents succès, car si Hélène cède,
révèle l'obstacle sous-jacent du destin; ensuite (II, 5) ce s
Busiris vite retourné et contourné, Oiax ivre (II, 9) réconc
contre toute attente (II, 11), Ulysse insidieux (II, 12) p
amical (II, 13); mais dans la scène finale s'accumulent
obstacles d'Oiax, des bellicistes et du destin, définitivem
insurmontables.

Les scènes 13 et 14 sont décisives, la première com
marche à la vérité, la seconde comme marche au destin. C
dernière surtout est scéniquement remarquable par l'al
nance rapide et constante de l'espoir et de la crainte, a
que par la concentration de divers types d'effets (verba
gestuels, scéniques avec les portes et le rideau); un tel fi
digne bouquet de ce feu d'artifice, peut sans peine figurer e
ceux d'*Intermezzo* et d'*Électre*, pourtant modèles du ge

Comique et tragique Dès 1935, Colette avait noté, dans son feuill
dramatique du *Journal*, l'interpénétration
genres qui caractérise la pièce : « Est-elle
satire? [...] sa pièce est aussi une tragédie traitée légèren
et un drame écrit sur une donnée d'opérette, quoiqu
n'emprunte directement à aucun des trois genres. » La pr
en est, entre autres, dans la fantaisie de la vision colorée
Hélène (I, 8), qui devient prophétie tragique (I, 9 et 10)

Il est toutefois possible, dans les multiples nuances
comique, d'en dégager trois registres principaux :

— **le jeu d'esprit** (généralement verbal) avec les
d'esprit (mais non d'auteur, car ils appartiennent bien
personnages qui les lancent), les jeux de mots (I, 10 : *or*
l. 23), les formules brillantes (I, 1 : le destin *forme accé*
du temps, l. 30), le pastiche (II, 3 : style photographi
II, 5 : juridique; II, 12 : nautique ou évangélique) et,
plus de piquant, la parodie (I, 6 : poétique; II, 4 : hymne

— **la fantaisie poétique,** avec la désinvolture (Pâris, Hélène), la familiarité (I, 1, ou la Paix en I, 10), les anachronismes et libertés mythologiques (*passim*), le saugrenu du détail (I, 1), le paradoxe (I, 4, etc.), la logique poétique (I, 6 : substitution du vieillard à l'adulte; I, 8 à 10 : vision colorée, etc.), la naïveté (Polyxène et Troïlus), l'euphorie enfin (II, 11).

— **l'agressivité satirique,** avec des traits anti-militaristes (II, 4), anti-juridistes (II, 5), anti-bellicistes (*passim*); des pointes contre la mythologie, la coquetterie, les vieillards (I, 4), Demokos ou Abnéos (II, 4); de la dérision démystificatrice (I, 4 et 6); de l'ironie sombre ou gaie (I, 3), antiphrastique (Hécube en II, 5) ou hyperbolique (Ulysse en II, 12); de la réduction au contradictoire (Hélène en I, 7; Troïlus en II,1) ou au fait matériel (I, 4); du marivaudage (II, 1), de la crudité (Hécube en II, 5 et les gabiers en II, 12) et du vaudeville (Oiax en II, 14); des ruses (II, 10 et 12), des taquineries (d'Hector par Andromaque en I, 3) et des gags (Ménélas en I, 4 et 8; Demokos en II, 4 et 10);

Ce comique apparaît soit en clausules brillantes ou allègres aux fins de scènes, soit en contrepoint acidulé chez les femmes troyennes (Cassandre surtout, Hécube, Andromaque, les servantes) sans vraiment rompre le fil du propos, soit en savoureux mélange des registres drôlatique et dramatique.

Quant au tragique, il est généralement lié à la mise en évidence du destin, soit dans les formules ou le dialogue graves (I, 9-10 et II, 13), soit dans les quelques événements extérieurs (II, 5), soit surtout lorsqu'à la fin de la pièce il revêt sensiblement son aspect de « forme accélérée du temps » (notamment en II, 14).

Guerre et destin Le déroulement de la pièce nous fait saisir par quelles étapes Giraudoux démystifie le bellicisme :

— dénonciation des vertus apparemment dues à la guerre (I, 3) et des idéalismes afférents (I, 6);

— substitution du civil (chasse) au belliqueux (guerre) pour atteindre ces vertus mêmes (I, 6), et de l'image hideuse (*cul de singe* en II, 5, l. 289) à l'image radieuse (Hélène en II, 4);

— apologie de l'action civique pour la vie (I, 6 par opposition avec le soldat, être-pour-la-mort) et de la vie (II, 5 par opposition avec la mort);

— dénonciation des moyens obliques du bellicisme (II, 4-5) et de son imposture de base (II, 8);

— dénonciation du bellicisme juridique (II, 5, Busiris);

— antithèse entre l'agressivité coléreuse (Oiax) et l'abn gation civique (Hector en II, 9-11);

— intégration de la guerre dans une perspective non pl belliciste ou pacifiste, mais plus large : celle du destin, approche d'une polémologie socio-métaphysique (non hair d'ennemis, mais lustrage de champions adverses; causali économique et faiblesses de politique intérieure comme agen essentiels du destin, en II, 13).

On se rappelle que ce fatalisme se rattache à la phil sophie de l'histoire de Tolstoï. Mais il peut être intéressa de noter que ce n'était pas, chez le sceptique Giraudou un *a priori* théorique. En effet, Jouvet a rapporté que no auteur, songeant déjà à faire une pièce sur l'*Iliade*, trou d'abord le titre de notre pièce, puis peu après déclara : « J déjà trouvé la première réplique. C'est Cassandre qui dit Andromaque : La guerre de Troie n'aura pas lieu ». Pu un autre jour : « J'ai trouvé la dernière réplique [...] : E n'aura pas lieu. » Ce renversement de la formule finale l'attribution de la formule optimiste à la lucide et prophétiq Cassandre semblent bien indiquer un projet initial de déno ment heureux, bien conforme au tempérament généreux l'auteur, à ses vœux d'ancien combattant et à son idéal réconciliation européenne. Mais il est vraisemblable l'accession d'Hitler à la Chancellerie du Reich en 1933 divers événements inquiétants ont contraint ce diplom bien informé à un réalisme plus sombre, qui le rend ici p solidaire du bonheur humain menacé, et qui s'aggraver « Le Mal, dont l'origine, dans *la Guerre de Troie n'aura lieu*, était au moins double : 'la bêtise de l'homme et c des éléments', est déjà conçu dans le *Supplément au Voy de Cook*, contemporain de *la Guerre de Troie n'aura pas l* comme une erreur humaine » (R. M. Albérès).

Amours et famille Si *Amphitryon 38* chantait le los du co conjugal, mais comme d'amants quelque sorte superlatifs, *Judith* avait poussé fort loin l'hy à la sensualité et à l'amour libre. Ces deux formes d'am celui de la solidarité conjugale et celui qui est « l'échang deux fantaisies et le contact de deux épidermes » (Chamf sont dans notre pièce loyalement confrontées; et si I semble peu défendable devant Hector (I, 4), Hélène se ju brillamment devant l'accusation d'inauthenticité lancée Andromaque (II, 8); liée au destin, elle aime par aimant (jeu de mots étymologique et plein de sens). Il n'emp qu'ici encore Giraudoux, l'immoraliste sensuel, fait rayo la sympathie vers l'amour conjugal.

Sans doute se garde-t-il bien de l'idéaliser : « On ne s'entend pas dans l'amour. La vie de deux époux qui s'aiment, c'est une perte de sang-froid perpétuelle » (II, 8, l. 33-35). Certes aussi, l'amour défendu par Hélène trouve en lui-même sa justification; mais il s'y cantonne. Au rebours, c'est l'amour conjugal — et familial — qui fait vibrer de générosité notamment les femmes troyennes, et par sympathie les spectateurs, auditeurs ou lecteurs de la pièce.

Au demeurant celle-ci est la seule de Giraudoux où il ait de lui-même porté à la scène une famille nombreuse; le phénomène était encore plus rare dans l'ensemble du théâtre français de l'entre-deux-guerres, si étranger à la juvénile vie de famille. Ici la jeunesse est représentée par un adolescent, Troïlus; une fillette, Polyxène (interprétée par une authentique petite fille de dix ans à la création); un enfant à naître enfin. Ce généreux foisonnement est peut-être dû à l'adaptation que Giraudoux avait faite, en 1934, de *Tessa (La Nymphe au cœur fidèle)* de Margaret Kennedy, où une famille nombreuse et bohême faisait circuler, dans le théâtre français si malthusien d'alors, un courant de jeunesse fraternelle.

Héros et personnages A la différence des pièces légendaires antérieures de Giraudoux, celle-ci n'oppose pas les humains aux divinités : seuls êtres surnaturels, la Paix est une allégorie et Iris une intermédiaire. Quant aux dieux, ils s'annulent dérisoirement dans la contradiction de leurs consignes (II, 12). Comme dans *Intermezzo* où l'Inspecteur, les demoiselles Mangebois en partie et les bourreaux occasionnellement s'opposaient en « méchants » au parti des « bons » (Isabelle et tous les tenants de la simplicité poétique et provinciale), notre pièce oppose deux clans que sépare leur conception de la valeur humaine : ceux pour qui l'homme doit s'accomplir dans la vie et pour la vie, et ceux pour qui l'homme ne s'accomplit qu'en risquant sa vie et en remettant en jeu son bonheur et l'existence d'autrui. D'un mot, c'est le vouloir-vivre face à la volonté de puissance; un tel clivage joue en nous au niveau de la sympathie. Au niveau de l'intellect, une plus vaste perspective oppose les vains projets « des souris et des hommes » à l'agencement inéluctable de l'univers, baptisé destin. A la différence des dieux, imposteurs haineux pour Giraudoux, le destin ne peut pas ne pas avoir raison, étant la force des choses. Mais ce que la lucidité apprend à l'auteur, ses sentiments ne lui permettent pas de l'accepter sereinement, et nous sentons la sympathie qu'il porte (et nous fait partager) à des efforts humains généreux, qu'il nous révèle pourtant voués à l'échec.

D'où finalement trois registres, à l'intérieur de chacu desquels s'étagent encore les personnages de la pièce :

— **les héros, anti-bellicistes** sympathiques, HECTOR pou sa constance énergique, ANDROMAQUE pour sa loyauté, HÉCUB pour son vigoureux bon sens, POLYXÈNE pour sa candeur et même CASSANDRE, solidaire des siens, quoique sans illu sions;

— **les neutres** authentiques, ULYSSE tout en lucidité, por à suivre le destin, mais capable de ruser avec lui par mélang de curiosité expérimentale et de sympathie humaine; HÉLÈN toute en intuition, absolument liée au destin, affectivemer neutre (en elle-même comme pour les spectateurs) mais capab de bonne volonté un peu gauche pour aider à la paix; TROÏL au rebours tout entier absorbé par son affectivité bouillonnant

— **les bellicistes** de tous étages : OIAX, baderne symp thique quand Demokos lui paraît l'ennemi véritable; PRIA que sauvent sa bénignité et la noblesse de ses vues (mên erronées); PÂRIS, belliciste au contraire par seul désir prolonger ses plaisirs; LE GÉOMÈTRE, idéaliste ridicule poétique, comme les enthousiastes et lestes gabiers; BUSIR faux neutre, belliciste par juridisme abstrait: DEMOKOS, poè anti-poétique, belliciste politicard, infantile mais retors, et s compère ABNÉOS; les vieillards libidineux et essoufflés, av eux au dernier barreau de l'échelle, en compagnie de la fou au chauvinisme de bas étage.

Notons encore avec quel soin sont dessinées les figu secondaires et avec quelle générosité l'auteur leur prê comme aux autres, de son esprit étincelant et de sa grâ poétique.

Style et théâtre Malgré quelques vulgarismes drus, il sem ici qu'il n'y ait rien à dire de la langue, t elle est classique; précisons seulement ce qu'il faut enten par là : aussi affirmée dans les familiarités du langage popula que dans la « tenue » du dialogue, l'élégance des tirades ou fermeté des formules.

Quant au style, peut-on ici le dire précieux? La conc tration théâtrale, l'architecture dramaturgique, les impéra de l'expression orale et scénique (sur un moment de laqu on ne peut ni s'arrêter ni revenir pour savourer ou réfléch tout cela n'est pas favorable aux méandres et distillations d préciosité. On retiendra, plutôt, que la difficulté de ce s vient essentiellement de sa concision à traduire une pe paradoxale, souvent originale, toujours véloce, dont la rapi surtout nous déroute à l'occasion; ainsi, une définition con *la forme accélérée du temps* pour le destin (I, 1, l. 29), enchaînement abrupt comme celui de Cassandre retournant contre les vieillards leur acclamation : *Vive la beauté!* et en déduisant : *Qu'ils meurent vite* puisque c'est à la beauté seule à vivre (I, 4, l. 90), une allusion comme celle d'Ulysse à Andromaque, otage possible (II, 13, l. 224-26), tout cela se saisit mal immédiatement. Giraudoux indique si cursivement la pensée dense et riche dont il est plein, qu'on pourrait croire seulement à des grâces verbales ou à de l'esprit. Finalement, s'il y a un défaut majeur de son style (au théâtre où l'on ne peut réfléchir, développer et méditer en marge du texte), c'est justement sa perfection définitive, qui nous livre comme facile un message difficile, comme seulement brillant ce qui est aussi profond, et comme périssable jouissance ce qui est substance inépuisable.

PH. BRITISH MUSEUM

Hélène en colloque avec Pâris.

JUGEMENTS SUR LA PIÈCE

JALONS

1935. De la réticence... : « Gagné par sa rhétorique de choix, o oublie sa volontaire impertinence à l'égard de tous les concep admis, et qu'il foule aux pieds tous ces sentiments qui, a cours des âges, firent la force, la grandeur des nations et d races » (M. ARMORY, in *Comœdia*).

...à l'adhésion : « ...cet enveloppement constant de la poési cette poursuite jamais essoufflée de l'idée, cette agilité d'espı qui lie d'une façon indicible le pathétique et l'ironie. Qı cette ironie surtout — car elle est un peu l'ironie du désespc — ne blesse point des esprits pour lesquels toutes choses la paix et de la guerre sont des dogmes respectés » (G. BAU in *le Figaro*).

1937. En comparaison avec « Électre » : « Comme font les chos brillantes de mille beautés, mais non parfaites, elle [*Élect* m'a fait rêver à d'autres *Électres* possibles [...] on ne rê pas ainsi autour d'un ouvrage achevé comme était *la Gue de Troie* » (Simone WEIL, lettre à Giraudoux; voir *le Figc littéraire*, décembre 1959).

1945. Premier bilan : « Nul doute que ce qui fit en grande paı le succès de *la Guerre de Troie*, c'est que tous s'y reconna saient. Dans tout ce qu'il dit de la guerre, c'est le triomp de l'intelligence la plus aiguisée; et la profondeur de analyse est telle que, sous les détails qui datent, elle attein l'essence de la guerre, à ses manifestations immuable (J. HOULET, *le Théâtre de Jean Giraudoux*, éd. Ardent).

1955. Second bilan : « Une œuvre qui a paru encore plus vr plus forte, plus angoissée qu'à sa naissance. Qui a peı dans l'aventure, des délicatesses savoureuses, mais qui, fond, dissimulaient ses vertus profondes; fanfreluches un corps pur et musclé » (R. KEMP in *le Monde*, juillet 19

1965. Troisième bilan : « On y rit moins, me semble-t-il, que le faisait le spectateur de la création en 1935. Les souve de ces trente dernières années y sont pour beaucoup : ils témoigné, absolument, rigoureusement, que la lucidité Cassandre-Giraudoux n'avait jamais été prise en défa (J. LEMARCHAND, *le Figaro littéraire*, été 1965).

1967. Dernier bilan télévisuel : « Bien sûr, les couplets reviendı on ne peut pas s'empêcher de faire du charme... (et, de te en temps, une scène 'ravissante' et inutile). Mais ils ne détruiront pas la terrible actualité de la pièce ni la grandeur de l'affrontement Ulysse-Hector. Et la télé, aussi franchement qu'elle dénonçait la musiquette intellectuelle, capte ces paroles d'éternité et les rapproche de nous comme une confidence sublime » (M. LEBESQUE, *l'Express*, 23-29 octobre 1967).

971. Dernier bilan théâtral : « *La Guerre de Troie n'aura pas lieu* ne dit pas autre chose — mais le dit combien mieux, et avec quelle exactitude — que ne faisaient et que ne font les innombrables *Paix au Vietnam* [...]. Son texte vient à nous, clair, évident, noir ou doré — et il faudrait être furieusement intelligent pour ne pas le comprendre, et bien volontairement enfoncé dans les partisaneries quotidiennes pour déclarer 'qu'il ne nous concerne plus' [...] la guerre de Troie *aurait pu* ne pas avoir lieu. Que dit d'autre Brecht parlant de la *résistible* ascension d'Arturo Ui? » (R. KANTERS, in *Figaro littéraire*, février 1971).

PSYCHOLOGIE

« A chaque nouvelle scène de *la Guerre de Troie*, une nouvelle victoire semble remportée sur la guerre et pourtant nous sentons bien, comme Hector, que la paix n'est nullement sauvée, qu'elle a au contraire reculé d'un pas. Si l'on convient d'appeler 'causalité métaphysique' ce ressort mystérieux des actions humaines qui n'est pas d'ordre psychologique, on peut dire que cette causalité règne en maîtresse dans l'œuvre de Giraudoux, que parfois [...] elle réussit à en chasser complètement la causalité psychologique [...] que l'auteur de *la Guerre de Troie* n'a ni le pouvoir ni l'intention de nous donner » (C.-E. MAGNY, *Précieux Giraudoux*, p. 106).

MYTHOLOGIE

« On s'explique cette utilisation des mythes si l'on se rappelle, d'une part, qu'ils ont été chez les Grecs des réponses graves données par l'imagination des poètes aux questions que l'homme ne cesse de se poser sur sa nature et son destin; et, d'autre part, que la période ouverte par la [...] guerre mondiale voit l'homme occidental en même temps obsédé de problèmes et curieux de les transposer, surtout au théâtre, au niveau de la poésie » (P.-H. SIMON, *op. cit.*, p. 83).

MESSAGE

« Entre 1914 et 1939 [...] la plupart des dramaturges se sont contentés de vues anecdotiques partielles — retour du combattant, difficultés de réadaptation, modifications apportées dans les mœurs — que plusieurs d'entre eux ont même faussées au point d'en faire de mauvaises comédies romanesques. D'autres ont écrit des monuments pompeux où l chauvinisme étouffe toute vérité. Aucun [...] n'a eu l'idé originale de dépeindre les heures qui précèdent immédiatemen la guerre. Aucun n'a su prendre sur le vif le moment où le hommes sont saisis du vertige qui les perd. Aucun ne l' dépouillé comme Giraudoux de ses prestiges » (M. MERCIER CAMPICHE, *op. cit.*, p. 71).

« Giraudoux ne choisit pas toujours dans le même sens il ne défend pas un système de valeurs contre un autre systèm de valeurs. Il montre surtout le caractère inévitable du confl de ces valeurs [...]. Plus important que le parti que prend héros est le fait qu'il prenne parti, qu'il assume la tragédie (R.-M. ALBÉRÈS, *op. cit.*, p. 405-406).

« Ce qui rend l'analyse de Giraudoux si particulièreme précieuse, c'est que, sans être aussi sèche que celle d'u philosophe, elle en a toute la généralité [...] ce qui est vrai d traits particuliers l'est aussi de l'ensemble du tableau (J. HOULET, *op. cit.*, p. 54).

« Dans *la Guerre de Troie n'aura pas lieu*, le sujet exige passion : il n'est guère possible de n'être point passion pour la paix et contre la guerre; les sentiments ne peuve être ici que des engagements de tout l'être. Il eût donc facile de donner au spectateur une âme de manifestant, c'e à-dire une âme aspirant à fuir sa propre forme et à se per dans la vie anonyme de ce grand être éphémère qu'est salle. Or, développant les thèmes les plus angoissants l'heure, Jean Giraudoux veut que cette angoisse nous re personnelle. Ses subtilités, ses préciosités mêmes ont p effet de tenir chaque spectateur en état d'émerveillem éveillé, de le tourner vers son âme la plus intime. En quitt le théâtre, nous avons l'impression qu'un homme nous pris à part et nous a parlé » (H. GOUHIER, *l'Essence du théâ* p. 219-220).

STYLE

« Giraudoux a trouvé la forme suprême de son art dan théâtre, où cette monotonie même des antithèses devient aide puisqu'il s'agit d'envoûter le spectateur, de le *char* au sens fort, par la litanie des mêmes procédés. Dans *la Gu de Troie*, l'admirable scène de la balance 'Ce que je pèse, Ulysse...' est construite sur l'antithèse Ulysse-Hector [...]; une fois trouvé le schéma, à la fois rythme oratoire et invention intellectuelle de contrastes, tout le reste suit; et la scène est très belle à cause de cette monotonie même [...]. La prose de théâtre exige une structure intérieure, rythmique ou intellectuelle : avec l'antithèse, et grâce à la préciosité, Giraudoux a donné à ce problème du style dramatique une solution qui est, pour le XXe siècle, l'équivalent exact de ce que fut pour la tragédie classique l'alexandrin » (C.-E. MAGNY, *op. cit.*, p. 55-56).

« Ce serait abuser d'une apparence superficielle que d'appeler prose le style de Giraudoux dans *la Guerre de Troie*, ce style si parfaitement équilibré qu'on n'imagine pas qu'un mot puisse y changer sa place [...], en abandonnant le vers, la langue théâtrale n'a point renoncé à sa musique » (P.-A. TOUCHARD, *Dionysos*, p. 88 et 211).

« A un changement de registre, c'est-à-dire à la voix d'un personnage nouveau, il confie le soin de nous éclairer, presque au sens optique du mot; ainsi le frémissement propre de l'auteur, sa pitié généreuse pour la folie humaine nous sont transmis par des moyens que je compare aux 'timbres' instrumentaux d'un orchestre » (COLETTE, in *le Journal*, 1935).

ACTUALITÉ

« Avec *la Paix* d'Aristophane, avec *l'Alcade de Zalamea* [1], la pièce de Giraudoux complète une trilogie dramatique toute entière consacrée à la dénonciation de la bêtise, du faux honneur, de la fausse vertu [...]. L'un des signes les plus certains auxquels on puisse reconnaître la force de frappe d'une pièce est la constance de son actualité [...]. L'Hector de Giraudoux disant, alors qu'il évoque le dernier adversaire qu'il a tué : 'Cette mort que j'allais donner, c'était un petit suicide', me paraît avoir autant de portée que n'importe quelle déclamation sur les cent quarante mille morts d'Hiroshima » (J. LEMARCHAND, art. cit.).

---

1. Pièce de Calderón (1600-1681) où le vieux paysan Crespo est opposé au général de Figueroa dans une scène pleine de grandeur.

SUJETS DE DEVOIRS

① Dans quelle mesure pensez-vous que s'applique à *la Guerre de Troie* cette assertion de J. Dutourd : « Giraudoux, homme de théâtre, n'a rien apporté au théâtre, sinon de mauvaises pièces qui aujourd'hui tombent en poussière ».

② Giraudoux écrivait dans *Littérature* : « Un théâtre est seul grand s'il impose au spectateur la conviction que le monde actuel est sonore en pensées, en espoirs, en force. » Expliquez cela en l'appliquant à *la Guerre de Troie*.

③ A propos du spectateur, H. Magnan disait : « Pour n'avoir jamais frappé sans pudeur aux battants de son cœur, Giraudoux risque fort de n'avoir jamais été entendu. » Pensez-vous que ce soit votre cas avec *la Guerre de Troie*

④ Mme Mercier-Campiche écrit : « *La Guerre de Troie* aide d'une façon magistrale spectateurs et lecteurs à analyser le phénomène de la guerre. » Étudiez par quels moyens, et dites avec quelle efficacité sur vous-même.

⑤ Gabriel Marcel disait du théâtre de Giraudoux : « Une énergie secrète y circule, qui s'apparente de très près à la bonté. Cette qualité-là, précieuse entre toutes, elle était déjà dans *Siegfried*, elle persistera dans *Intermezzo* et dans une ou deux scènes de *la Guerre de Troie*. » En les appliquant à cette dernière pièce, expliquez l'idée du philosophe et ses restrictions et précisez dans quelle mesure vous les partagez.

⑥ Dans quelle mesure la valeur de *la Guerre de Troie* vous paraît-elle définie par cette affirmation de R. Kemp sur Giraudoux : « Il aérait le théâtre de souffles vastes et y faisait lever un atroce cauchemar »?

⑦ Faites le résumé d'une adaptation théâtrale (acte par acte et scène par scène) ou télévisuelle (plan par plan) du même épisode ou de tel autre de l'*Iliade* à votre idée.

SUJETS D'EXPOSÉS

1. La personnalité de Giraudoux à travers sa pièce.
2. Élégance, charme et séduction de la pièce.
3. L'esprit de Giraudoux dans sa pièce.
4. Fantaisie, désinvolture et irrespect dans la pièce.
5. L'ironie (spirituelle, satirique, sceptique, tragique).
6. Les divers aspects de l'humour (au sens large du m
7. Les transpositions et anachronismes (formes, fonctic
8. Valeur satirique et polémique de la pièce.

9. Les débats dans la pièce (thèmes, formes, fonctions).
10. Les leçons de la pièce (à différencier du didactisme).
11. La philosophie de l'histoire (guerre, nations, politique).
12. Dieux, destin, déterminisme, fatalisme.
13. La lucidité de Giraudoux (refus des symboles, du pathos).
14. Les deux amours.
15. Hélène, mythe ou objet?
16. Les femmes et les filles dans la pièce.
17. Le battement de cils de Pénélope.
18. Hector et Ulysse.
19. La jeunesse dans la pièce.
20. Le caractère a-psychologique de la pièce.
21. Gratuité ou signification des « facettes »?
22. Préciosité ou classicisme dans la pièce?
23. Les dissonances de style (crudité, vulgarisme, burlesque).
24. L'art du dialogue (style et musique, formes et fonctions).
25. Valeur scénique et dramatique (action, structure, espace).
26. Rapports entre tragédie, drame et comédie dans la pièce.
27. La pièce et les principes littéraires de Giraudoux.
28. La pièce et *Siegfried*, *Électre*, *Sodome et Gomorrhe* ou *Pleins Pouvoirs*.
29. Place de la pièce dans l'œuvre et le théâtre de Giraudoux.
30. Originalité et tradition dans *la Guerre de Troie*.

TABLE DES MATIÈRES

Imprimerie Jean-Lamour, 54320 Maxéville
Dépôt légal : avril 1991 — Dépôt légal 1re édition : 1965
Imprimé en France.